6학년이 ✔꼭 알아야 한

수학 서술형

서술형

특징

1. 3~6학년까지 1·2학기로 구성되어 있습니다.

2. 다양한 서술형 문제를 제시된 풀이 과정에 따라 학습하고 익히면서 자연스럽게 문제 해결이 가능하도록 하였습니다.

3. 학교 교과 과정을 기준으로 하여 학기 중에 학교 진도에 맞추어 학습이 가능하도록 하였습니다.

구성

서술형 탐구   대표적인 서술형 유형을 선택하여 서술 길라잡이와 함께 제시된 풀이 과정을 통해 문제 해결 방법을 익히도록 구성하였습니다.

서술형 완성하기   서술형 탐구와 유사한 문제를 빈칸을 채우며 풀이 과정을 익히는 학습을 통해 같은 유형의 서술형 문제를 익히도록 구성하였습니다.

서술형 정복하기   서술형 완성하기에서 배운 풀이 전개 방법을 완벽하게 반복 연습하여 서술형 문제에 대한 자신감을 갖도록 구성하였습니다.

실전! 서술형   단원을 마무리 하면서 익힌 내용을 다시 한 번 정리해보고 확인하여 자신의 실력으로 만들 수 있도록 구성하였습니다.

CONTENTS

분수의 나눗셈

1÷3의 몫을 분수로 나타내는 방법을 설명하시오. (4점)

서술 길라잡이 1÷■의 몫을 분수로 나타내면 $\dfrac{1}{■}$입니다.

✏️ 1÷3은 1을 똑같이 3으로 나눈 것 중의 하나입니다.

1을 똑같이 3으로 나눈 것 중의 하나를 분수로 나타내면 $\dfrac{1}{3}$입니다.

따라서 1÷3의 몫을 분수로 나타내면 1÷3=$\dfrac{1}{3}$입니다.

평가 기준	1÷3의 몫을 분수로 바르게 나타낸 경우	2점	합 4점
	1÷3의 몫을 분수로 나타내는 방법을 바르게 설명한 경우	2점	

서술형 완성하기   빈칸을 채우며 서술형 풀이를 완성하시오.

1 3÷5의 몫을 분수로 나타내는 방법을 설명하시오.

✏️ 1÷5의 몫을 분수로 나타내면 $\dfrac{\square}{5}$입니다.

3÷5는 $\dfrac{1}{5}$이 $\square$개이므로 $\dfrac{\square}{5}$입니다.

따라서 3÷5의 몫을 분수로 나타내면 3÷5=$\dfrac{\square}{5}$입니다.

2 7÷4의 몫을 분수로 나타내는 방법을 설명하시오.

✏️ 7÷4=$\square$…$\square$이므로 먼저 1씩 나누고 나머지 $\square$을 4로 나누면 $\dfrac{\square}{4}$입니다.

따라서 7÷4=$\square\dfrac{\square}{4}$=$\dfrac{\square}{4}$입니다.

1 1÷8의 몫을 분수로 나타내는 방법을 설명하시오. (4점)

2 8÷9의 몫을 분수로 나타내는 방법을 설명하시오. (4점)

3 13÷5의 몫을 분수로 나타내는 방법을 설명하시오. (4점)

$\dfrac{1}{3} \div 5$를 계산하는 방법을 설명하시오. (4점)

서술 길라잡이 (진분수)÷(자연수)를 곱셈으로 나타내면 (진분수)×$\dfrac{1}{(\text{자연수})}$ 입니다.

✎ $\dfrac{1}{3} \div 5$를 분수의 곱셈으로 나타내면 $\dfrac{1}{3} \div 5 = \dfrac{1}{3} \times \dfrac{1}{5}$입니다.

따라서 $\dfrac{1}{3} \div 5 = \dfrac{1}{3} \times \dfrac{1}{5} = \dfrac{1}{3 \times 5} = \dfrac{1}{15}$입니다.

평가 기준 | 계산 방법을 바르게 설명한 경우 | 4점

서술형 완성하기   빈칸을 채우며 서술형 풀이를 완성하시오.

1 $\dfrac{4}{5} \div 3$을 계산하는 방법을 설명하시오.

✎ $\dfrac{4}{5} \div 3$을 분수의 곱셈으로 나타내면 $\dfrac{4}{5} \div 3 = \dfrac{4}{5} \times \dfrac{\boxed{}}{3}$입니다.

따라서 $\dfrac{4}{5} \div 3 = \dfrac{4}{5} \times \dfrac{\boxed{}}{3} = \dfrac{4 \times \boxed{}}{5 \times 3} = \dfrac{\boxed{}}{15}$ 입니다.

2 $\dfrac{8}{9} \div 2 = \dfrac{4}{9}$인 이유를 2가지 방법으로 설명하시오.

✎ [방법 1] 분자가 자연수의 배수일 때 분자를 자연수로 나눕니다.

$$\dfrac{8}{9} \div 2 = \dfrac{8 \div \boxed{}}{9} = \dfrac{\boxed{}}{9}$$

[방법 2] 곱셈식으로 나타내어 계산한 후 약분합니다.

$$\dfrac{8}{9} \div 2 = \dfrac{8}{9} \times \dfrac{\boxed{}}{2} = \dfrac{\boxed{}}{18} = \dfrac{\boxed{}}{9}$$

1 $\frac{7}{6} \div 4$를 계산하는 방법을 설명하시오. (4점)

2 $\frac{4}{7} \div 2 = \frac{2}{7}$인 이유를 2가지 방법으로 설명하시오. (4점)

[방법 1]

[방법 2]

3 $\frac{12}{5} \div 9 = \frac{4}{15}$인 이유를 2가지 방법으로 설명하시오. (4점)

[방법 1]

[방법 2]

서술형 탐구

계산이 틀린 곳을 찾아 이유를 쓰고, 바르게 고쳐 보시오. (4점)

$$\frac{4}{5} \div 2 = \frac{4}{5} \times 2 = \frac{8}{5} = 1\frac{3}{5}$$

서술 길라잡이 (진분수)÷(자연수)는 (진분수)$\times \dfrac{1}{(자연수)}$ 로 고쳐서 계산합니다.

✐ $\frac{4}{5} \div 2 = \frac{4}{5} \times 2$ 에서 $\div 2$는 $\times \frac{1}{2}$로 고쳐서 계산해야 하는데 $\div$를 $\times$로만 고쳐서 계산했습니다.

➡ $\frac{4}{5} \div 2 = \frac{4}{5} \times \frac{1}{2} = \frac{4}{10} = \frac{2}{5}$

평가기준	계산이 틀린 이유를 바르게 설명한 경우	2점	합 4점
	계산을 바르게 고친 경우	2점	

서술형 완성하기

빈칸을 채우며 서술형 풀이를 완성하시오.

1 계산이 틀린 곳을 찾아 이유를 쓰고, 바르게 고쳐 보시오.

$$\frac{7}{4} \div 5 = \frac{7}{4} \times 5 = \frac{35}{4} = 8\frac{3}{4}$$

✐ $\frac{7}{4} \div 5 = \frac{7}{4} \times 5$ 에서 $\div 5$는 $\times \frac{\square}{\square}$로 고쳐서 계산해야 하는데 $\div$를 $\square$로만 고쳐서 계산

했습니다. ➡ $\frac{7}{4} \div 5 = \frac{7}{4} \times \frac{\square}{\square} = \frac{\square}{\square}$

2 계산이 틀린 곳을 찾아 이유를 쓰고, 바르게 고쳐 보시오.

$$1\frac{2}{3} \div 3 = \frac{5}{\underset{1}{3}} \times \frac{1}{\cancel{3}} = 5$$

✐ $1\frac{2}{3} \div 3 = \frac{5}{3} \times 3$ 에서 $\div 3$은 $\times \frac{\square}{\square}$로 고쳐서 계산해야 하는데 $\div$를 $\square$로만 고쳐서 계산

했습니다. ➡ $1\frac{2}{3} \div 3 = \frac{5}{3} \times \frac{\square}{\square} = \frac{\square}{\square}$

1 계산이 <u>틀린</u> 곳을 찾아 이유를 쓰고, 바르게 고쳐 보시오. (4점)

$$\frac{7}{15} \div 14 = \frac{7}{15} \times 14 = \frac{98}{15} = 6\frac{8}{15}$$

2 계산이 <u>틀린</u> 곳을 찾아 이유를 쓰고, 바르게 고쳐 보시오. (4점)

$$\frac{6}{5} \div 12 = \frac{6}{5} \times 12 = \frac{72}{5} = 14\frac{2}{5}$$

3 계산이 <u>틀린</u> 곳을 찾아 이유를 쓰고, 바르게 고쳐 보시오. (4점)

$$4\frac{2}{9} \div 2 = 4\frac{\overset{1}{\cancel{2}}}{9} \times \frac{1}{\underset{1}{\cancel{2}}} = 4\frac{1}{9}$$

주스 $\frac{5}{8}$ L를 네 사람이 똑같이 나누어 마셨습니다. 한 사람이 주스를 몇 L씩 마셨는지 풀이 과정을 쓰고 답을 구하시오. (4점)

| 서술 길라잡이 | (진분수)÷(자연수)는 (진분수)×$\frac{1}{(자연수)}$로 고쳐서 계산합니다. |

✐ 전체 주스의 양을 사람 수로 나눕니다.

따라서 $\frac{5}{8} \div 4 = \frac{5}{8} \times \frac{1}{4} = \frac{5}{32}$ (L)이므로 한 사람이 마신 주스는 $\frac{5}{32}$ L입니다.

답 _____ $\frac{5}{32}$ L _____

평가 기준	문제에 알맞은 식을 바르게 세운 경우	2점	합 4점
	답을 바르게 구한 경우	2점	

서술형 완성하기 빈칸을 채우며 서술형 풀이를 완성하고 답을 쓰시오.

1 소금물 $\frac{12}{5}$ L를 비커에 담아 6모둠에 똑같이 나누어 주려고 합니다. 한 모둠에 몇 L씩 나누어 줄 수 있는지 풀이 과정을 쓰고 답을 구하시오.

✐ 전체 소금물의 양을 모둠 수로 나눕니다.

따라서 $\frac{12}{5} \div 6 = \frac{12 \div \boxed{}}{5} = \frac{\boxed{}}{\boxed{}}$ (L)이므로 한 모둠에 $\frac{\boxed{}}{\boxed{}}$ L씩 나누어 줄 수 있습니다.

답 _____

2 가영이는 3시간 동안 $13\frac{1}{2}$ km를 걸었습니다. 한 시간에 몇 km를 걸은 셈인지 풀이 과정을 쓰고 답을 구하시오.

✐ 전체 걸은 거리를 걸은 시간으로 나눕니다.

따라서 $13\frac{1}{2} \div 3 = \frac{\boxed{}}{2} \times \frac{\boxed{}}{3} = \frac{\boxed{}}{6} = \frac{\boxed{}}{2} = \boxed{}\frac{\boxed{}}{2}$ (km)이므로

한 시간에 $\boxed{}\frac{\boxed{}}{2}$ km씩 걸은 셈입니다.

답 _____

1 끈 5 m를 8명이 똑같이 나누어 가졌습니다. 한 사람이 갖게 되는 끈의 길이는 몇 m인지 풀이 과정을 쓰고 답을 구하시오. (4점)

답 _____

2 길이가 $6\frac{2}{5}$ m인 철사를 8도막으로 똑같이 나누려고 합니다. 한 도막의 길이는 몇 m인지 풀이 과정을 쓰고 답을 구하시오. (4점)

답 _____

3 페인트 $\frac{3}{8}$ L와 $\frac{4}{5}$ L를 합하여 2개의 통에 똑같이 나누어 담았습니다. 통 한 개에 담긴 페인트는 몇 L인지 풀이 과정을 쓰고 답을 구하시오. (5점)

답 _____

1 $7 \div 15$의 몫을 분수로 나타내는 방법을 설명하시오. (4점)

2 $\dfrac{7}{8} \div 3$을 계산하는 방법을 설명하시오. (4점)

3 $\dfrac{16}{9} \div 4 = \dfrac{4}{9}$인 이유를 2가지 방법으로 설명하시오. (4점)

[방법 1]

[방법 2]

④ 계산이 <u>틀린</u> 곳을 찾아 이유를 쓰고, 바르게 고쳐 보시오. (4점)

$$2\frac{1}{7} \div 5 = \frac{15}{7} \times 5 = \frac{75}{7} = 10\frac{5}{7}$$

⑤ 길이가 $1\frac{3}{5}$ m인 막대를 똑같이 4도막으로 나누어 정사각형 모양 한 개를 만들었습니다. 만든 정사각형의 한 변의 길이는 몇 m인지 풀이 과정을 쓰고 답을 구하시오. (4점)

답 _____

⑥ 쌀 $5\frac{3}{5}$ kg을 4개의 통에 똑같이 나누어 담았습니다. 빈 통 한 개의 무게가 $\frac{1}{2}$ kg이라면 쌀을 담은 통 한 개의 무게는 몇 kg인지 풀이 과정을 쓰고 답을 구하시오.

(5점)

답 _____

논리적 사고력을 키워주는
숫자 퍼즐 스도쿠

▣ 게임 방법

1. 모든 세로줄에는 1부터 9까지의 숫자가 겹치지 않게 한 번씩만 들어갑니다.

2. 모든 가로줄에는 1부터 9까지의 숫자가 겹치지 않게 한 번씩만 들어갑니다.

3. 가로, 세로 3×3으로 이루어진 굵은 테두리의 작은 사각형 안에도 1부터 9까지의 숫자가 겹치지 않게 한 번씩만 들어갑니다.

	4	8					3	
2			3		5			6
	1					5	9	
	2		8		7	4	1	
1			9		2		7	3
				4		9		
		1		3				
8	5		4		9			1
	3	9	2		6		5	

② 각기둥과 각뿔

서술형 탐구

입체도형과 각기둥을 각각 찾아 쓰고, 그렇게 생각한 이유를 설명해 보시오. (4점)

 가   나   다   라   마

서술 길라잡이 입체도형을 먼저 찾아보고, 이 입체도형들 중에서 각기둥을 찾습니다.

✎ 입체도형은 나, 다, 마이고, 각기둥은 다, 마입니다.

입체도형은 평면도형이 아닌 도형을 찾아야 하고, 각기둥은 이 입체도형들 중에서 위와 아래에 있는 면이 서로 평행하고 합동인 다각형으로 이루어진 입체도형을 찾아야 합니다.

평가기준		
입체도형과 각기둥을 각각 바르게 찾은 경우	2점	합 4점
이유를 바르게 설명한 경우	2점	

서술형 완성하기

빈칸을 채우며 서술형 풀이를 완성하시오.

1 오른쪽 입체도형은 각기둥입니까? 그렇게 생각한 이유를 설명해 보시오.

✎ 주어진 입체도형은 각기둥이 (맞습니다, 아닙니다).

위와 아래에 있는 면이 서로 ☐하지만 ☐이 아니기 때문입니다.

2 각기둥에 대하여 잘못 말한 사람은 누구인지 이름을 쓰고, 잘못 말한 것을 바르게 고치시오.

위와 아래에 있는 면이 서로 합동인 다각형이야.   기둥 모양의 입체도형이야.   위와 아래에 있는 면이 서로 수직이야.

예슬   동민   가영

✎ 잘못 말한 사람은 ☐입니다. 바르게 고치면 각기둥은 위와 아래에 있는 면이 서로 ☐ 합니다.

1 각뿔을 모두 찾아 쓰고, 그렇게 생각한 이유를 설명해 보시오. (4점)

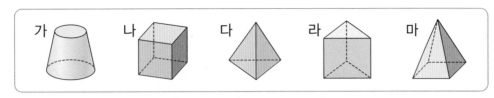

가 나 다 라 마

2 오른쪽 입체도형은 각뿔입니까? 그렇게 생각한 이유를 설명해 보시오.

(4점)

3 오른쪽 두 입체도형의 같은 점과 다른 점을 각각 1가지씩 쓰시오. (4점)

[같은 점]

[다른 점]

서술형 탐구

각기둥에 대한 설명입니다. <u>잘못된</u> 것을 모두 찾아 바르게 설명해 보시오. (4점)

> ㉠ 두 밑면은 서로 합동입니다.
> ㉡ 옆면의 모양은 삼각형입니다.
> ㉢ 밑면과 옆면은 서로 수직입니다.
> ㉣ 밑면의 모양은 직사각형입니다.

서술 길라잡이   각기둥의 밑면과 옆면에 대하여 생각해 봅니다.

✎ 잘못된 것은 ㉡, ㉣입니다.

바르게 고치면 각기둥의 옆면의 모양은 직사각형이고, 밑면의 모양은 각기둥에 따라 다릅니다.

평가 기준	잘못된 것을 모두 찾은 경우	2점	합 4점
	잘못된 것을 모두 바르게 설명한 경우	2점	

서술형 완성하기   빈칸을 채우며 서술형 풀이를 완성하시오.

1 각기둥을 보고 빈칸에 알맞은 말을 써넣고, 각기둥의 이름은 어떻게 정해지는지 설명해 보시오.

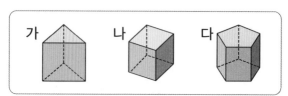

각기둥	가	나	다
밑면의 모양	삼각형		
이름	삼각기둥		

각기둥의 이름은 밑면의 [　]에 따라 정해집니다.

2 모서리가 15개인 각기둥의 이름은 무엇인지 설명해 보시오.

✎ 각기둥의 한 밑면의 변의 수를 ■개라 하면 모서리가 15개이므로

■ × [　] = [　], ■ = [　]입니다.

따라서 한 밑면의 변의 수가 [　]개인 각기둥이므로 [　]입니다.

1 세 개의 각기둥 중 이름이 다른 각기둥을 찾아 기호를 쓰려고 합니다. 풀이 과정을 쓰고 답을 구하시오. (4점)

> ㉠ 옆면의 수가 5개인 각기둥
> ㉡ 모서리의 수가 18개인 각기둥
> ㉢ 꼭짓점의 수가 10개인 각기둥

답 _____

2 오른쪽과 같이 밑면이 정삼각형인 각기둥 2개를 옆면끼리 맞닿게 붙여 새로운 각기둥을 만들었습니다. 만든 각기둥의 이름은 무엇인지 설명해 보시오. (4점)

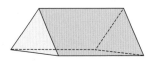

답 _____

3 다음 조건을 만족하는 각기둥의 이름은 무엇인지 설명해 보시오. (6점)

> (면의 수)＋(모서리의 수)＋(꼭짓점의 수)＝50

답 _____

각뿔에 대한 설명입니다. <u>잘못된</u> 것을 모두 찾아 바르게 설명해 보시오. (4점)

> ㉠ 밑면은 항상 2개입니다.
> ㉡ 옆면은 모두 삼각형입니다.
> ㉢ 꼭짓점은 모서리와 모서리가 만나는 점입니다.
> ㉣ 높이는 각뿔의 꼭짓점과 밑면의 한 꼭짓점을 이은 선분의 길이입니다.

서술 길라잡이 각뿔의 밑면, 옆면, 꼭짓점, 높이에 대하여 생각해 봅니다.

✏️ 잘못된 것은 ㉠, ㉣입니다.

바르게 고치면 각뿔의 밑면은 1개이고, 높이는 각뿔의 꼭짓점에서 밑면에 수직인 선분의 길이입니다.

평가 기준	잘못된 것을 모두 찾은 경우	2점	합 4점
	잘못된 것을 모두 바르게 설명한 경우	2점	

서술형 완성하기

빈칸을 채우며 서술형 풀이를 완성하고 답을 쓰시오.

1 옆면이 오른쪽 삼각형과 합동인 면 5개로 이루어진 각뿔이 있습니다. 이 각뿔의 밑면의 둘레는 몇 cm인지 풀이 과정을 쓰고 답을 구하시오.

6 cm 6 cm

3 cm

✏️ 삼각형인 옆면이 5개인 각뿔은 [ ]입니다.

따라서 ([ ]의 밑면의 둘레)=[ ]×5=[ ](cm)입니다.

답 _____

2 꼭짓점이 16개인 각뿔의 이름은 무엇인지 설명해 보시오.

✏️ 각뿔의 밑면의 변의 수를 ■개라 하면 꼭짓점이 16개이므로

■+[ ]=[ ], ■=[ ]입니다.

따라서 밑면의 변의 수가 [ ]개인 각뿔이므로 [ ]입니다.

1 세 개의 각뿔 중 이름이 다른 각뿔을 찾아 기호를 쓰려고 합니다. 풀이 과정을 쓰고 답을 구하시오. (4점)

> ㉠ 면의 수가 9개인 각뿔
>
> ㉡ 모서리의 수가 16개인 각뿔
>
> ㉢ 꼭짓점의 수가 10개인 각뿔

답 _____

2 옆면이 오른쪽 삼각형과 합동인 면 6개로 이루어진 각뿔이 있습니다. 이 각뿔의 모든 모서리의 길이의 합은 몇 cm인지 풀이 과정을 쓰고 답을 구하시오. (6점)

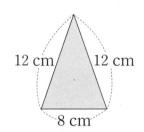

12 cm   12 cm

8 cm

답 _____

3 다음 조건을 만족하는 각뿔의 이름은 무엇인지 설명해 보시오. (6점)

> (면의 수)+(모서리의 수)+(꼭짓점의 수)=46

답 _____

육각기둥과 사각뿔의 모서리의 수의 차는 몇 개인지 풀이 과정을 쓰고 답을 구하시오. (4점)

서술 길라잡이 각기둥과 각뿔의 모서리의 수는 각각 밑면의 변의 수와 어떤 관계인지 생각합니다.

✏️ 각기둥의 모서리의 수는 (한 밑면의 변의 수)×3이므로

육각기둥의 모서리의 수는 $6×3＝18$(개)이고,

각뿔의 모서리의 수는 (밑면의 변의 수)×2이므로

사각뿔의 모서리의 수는 $4×2＝8$(개)입니다.

따라서 육각기둥과 사각뿔의 모서리의 수의 차는 $18－8＝10$(개)입니다.

답   10개

평가 기준	각기둥과 각뿔의 모서리의 수를 구하는 방법을 아는 경우	2점	합 4점
	각각의 모서리의 수를 알아내어 차를 구한 경우	2점	

서술형 완성하기   빈칸을 채우며 서술형 풀이를 완성하고 답을 쓰시오.

1 오른쪽 각기둥의 밑면의 모양이 정오각형일 때 모든 모서리의 길이의 합은 몇 cm인지 풀이 과정을 쓰고 답을 구하시오.

> 5 cm
> 8 cm

✏️ 모든 모서리의 길이의 합은 (한 밑면의 둘레)× ☐ 와

(높이)× ☐ 의 합이므로 $5×$ ☐ $×$ ☐ $+8×$ ☐ $＝$ ☐ (cm)입니다.

답 _____

2 모서리의 수가 30개인 각뿔의 면의 수와 꼭짓점의 수의 합은 몇 개인지 풀이 과정을 쓰고 답을 구하시오.

✏️ (각뿔의 모서리의 수)＝(밑면의 변의 수)× ☐ 이므로 밑면의 변의 수는

$30÷$ ☐ $＝$ ☐ (개)입니다. 따라서 ☐ 각뿔이므로 면의 수는 ☐ $+1＝$ ☐ (개)이고

꼭짓점의 수도 ☐ $+1＝$ ☐ (개)가 되어 구하는 답은 ☐ $+$ ☐ $＝$ ☐ (개)입니다.

답 _____

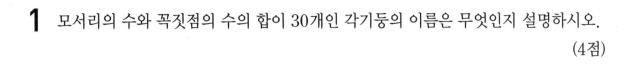
1 모서리의 수와 꼭짓점의 수의 합이 30개인 각기둥의 이름은 무엇인지 설명하시오.

(4점)

답

2 밑면의 모양이 같은 각기둥과 각뿔이 있습니다. 각기둥의 모서리의 수가 24개일 때, 각뿔의 면의 수는 몇 개인지 풀이 과정을 쓰고 답을 구하시오. (6점)

답

3 밑면의 모양이 같은 각기둥과 각뿔이 있습니다. 이 각기둥과 각뿔의 꼭짓점의 수의 차가 4개일 때 각기둥과 각뿔의 이름은 무엇인지 풀이 과정을 쓰고 답을 구하시오.

(6점)

답

서술형 탐구

오른쪽은 삼각기둥의 전개도입니까? 그렇게 생각한 이유를 설명해 보시오. (5점)

> **서술 길라잡이** 삼각기둥은 2개의 밑면과 3개의 옆면으로 이루어진 입체도형입니다.

🖊 삼각기둥의 전개도가 아닙니다.

삼각기둥의 밑면인 삼각형이 2개이어야 하는데 1개뿐이므로 전개도를 접었을 때 삼각기둥이 될 수 없기 때문입니다.

평가기준	삼각기둥의 전개도가 아니라고 쓴 경우	2점	합
	이유를 바르게 설명한 경우	3점	5점

서술형 완성하기
빈칸을 채우며 서술형 풀이를 완성하시오.

1 오른쪽은 각기둥의 전개도를 옆면만 그린 것입니다. 이 전개도를 완성하고 어떤 각기둥의 전개도인지 설명해 보시오.

🖊 옆면이 직사각형 6개로 이루어져 있으므로 ☐ 의 전개도입니다.

2 오른쪽은 밑면이 정오각형인 각기둥의 전개도입니다. 이 전개도의 둘레가 62 cm일 때 각기둥의 높이는 몇 cm인지 풀이 과정을 쓰고 답을 구하시오.

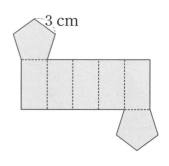

🖊 각기둥의 높이를 ■ cm라 하면 전개도의 둘레는 길이가 3 cm인 선분 ☐개, ■ cm인 선분 ☐개로 이루어져 있습니다.

(전개도의 둘레)=3×☐+■×☐=62, ■=☐

따라서 각기둥의 높이는 ☐ cm입니다.

답 _____

1 오른쪽은 동민이가 삼각기둥의 전개도를 그린 것입니다. 전개도를 정확하게 그렸습니까? 그렇게 생각한 이유를 설명해 보시오. (5점)

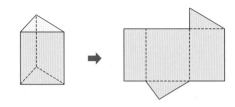

2 오른쪽 사각기둥의 전개도를 2가지 방법으로 그려 보시오. (6점)

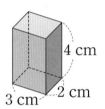

4 cm
3 cm   2 cm

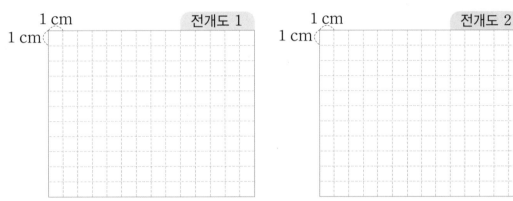

1 cm
1 cm   전개도 1

1 cm
1 cm   전개도 2

3 오른쪽은 밑면이 정육각형인 각기둥의 전개도입니다. 이 전개도의 둘레가 120 cm일 때 각기둥의 밑면의 한 변은 몇 cm인지 풀이 과정을 쓰고 답을 구하시오. (6점)

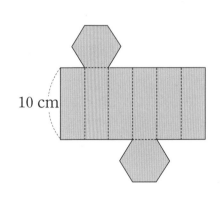

10 cm

답

1 오른쪽 두 입체도형의 같은 점과 다른 점을 각각 1가지 씩 쓰시오. (4점)

 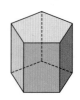

[같은 점]

[다른 점]

2 각기둥에서 면, 꼭짓점, 모서리의 개수 사이에는 어떤 관계가 있는지 설명하고, 식 으로 써 보시오. (6점)

3 옆면이 오른쪽과 같은 이등변삼각형 12개로 이루어진 각뿔이 있습니 다. 이 각뿔의 이름은 무엇인지 설명해 보시오. (6점)

답 _____

4 모든 옆면이 오른쪽과 같은 이등변삼각형 6개로 이루어진 각뿔이 있습니다. 이 각뿔의 모든 모서리의 길이의 합은 몇 cm인지 풀이 과정을 쓰고 답을 구하시오. (6점)

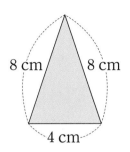

답 _____

 5 모서리의 수와 꼭짓점의 수의 합이 37개인 각뿔의 이름은 무엇인지 설명하시오. (6점)

답 _____

 6 오른쪽은 밑면이 정삼각형인 각기둥의 전개도입니다. 전개도의 둘레가 78 cm일 때 선분 ㄱㄴ의 길이는 몇 cm인지 풀이 과정을 쓰고 답을 구하시오. (6점)

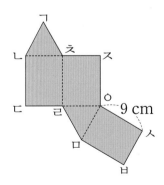

답 _____

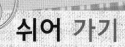

논리적 사고력을 키워주는
숫자 퍼즐 스도쿠

◼ 게임 방법
1. 모든 세로줄에는 1부터 9까지의 숫자가 겹치지 않게 한 번씩만 들어갑니다.
2. 모든 가로줄에는 1부터 9까지의 숫자가 겹치지 않게 한 번씩만 들어갑니다.
3. 가로, 세로 3×3으로 이루어진 굵은 테두리의 작은 사각형 안에도 1부터 9까지의 숫자가 겹치지 않게 한 번씩만 들어갑니다.

			4			7	6	
5		1	7				4	8
	7	4		3				
				8		9	1	
	3	8			1			
1	5				6	8		2
		3	8		4		5	6
	1	2				4	9	
4	6		2		3	1		

3 소수의 나눗셈

계산이 <u>틀린</u> 곳을 찾아 이유를 쓰고, 바르게 고쳐 보시오. (4점)

```
      2 6.7                      2.6 7
  4)1 0.6 8               4)1 0.6 8
      8                          8
      2 6                        2 6
      2 4                        2 4
        2 8                        2 8
        2 8                        2 8
          0                          0
```

서술 길라잡이 몫의 소수점의 위치를 바르게 찍었는지 살펴봅니다.

✏️ 몫의 소수점은 나누어지는 수의 소수점의 자리에 맞추어 찍어야 합니다.
따라서 몫은 2.67이 됩니다.

평가 기준	계산이 틀린 이유를 바르게 설명한 경우	2점	합 4점
	틀린 계산을 바르게 고친 경우	2점	

서술형 완성하기 빈칸을 채우며 서술형 풀이를 완성하시오.

[1~2] 계산이 <u>틀린</u> 곳을 찾아 이유를 쓰고, 바르게 고쳐 보시오.

1
```
      2.1 5
  3)6 4.5                3)6 4.5
    6
    4
    3
    1 5
    1 5
      0
```

✏️ 몫의 소수점은 나누어지는 수의 소수점의 자리에 맞추어 찍어야 합니다.
따라서 몫은 ☐ 가 됩니다.

2
```
      5.6
  7)3.9 2                7)3.9 2
    3 5
      4 2
      4 2
        0
```

✏️ 나누어지는 수가 나누는 수보다 작을 때에는 몫의 일의 자리에 ☐ 을 쓰고, 소수점을 찍은 다음 자연수의 나눗셈과 같은 방법으로 계산합니다.
따라서 몫은 ☐ 이 됩니다.

1 계산이 <u>틀린</u> 곳을 찾아 이유를 쓰고, 바르게 고쳐 보시오. (4점)

```
        9 5.6
   8) 7 6.4 8
      7 2
        4 4
        4 0
          4 8
          4 8
            0
```
➡
```
   8) 7 6.4 8
```

2 계산이 <u>틀린</u> 곳을 찾아 이유를 쓰고, 바르게 고쳐 보시오. (4점)

```
         4
   6) 2.4
      2 4
        0
```
➡
```
   6) 2.4
```

3 계산이 <u>틀린</u> 곳을 찾아 이유를 쓰고, 바르게 고쳐 보시오. (4점)

```
           7
   26) 1 8.2
       1 8 2
           0
```
➡
```
   26) 1 8.2
```

서술형 탐구

0.95÷5=0.19인 이유를 2가지 방법으로 설명하시오. (4점)

서술 길라잡이 소수를 분수로 고쳐서 계산하거나 자연수의 나눗셈과 비교하여 계산할 수 있습니다.

[방법 1] 소수를 분수로 고쳐서 계산합니다.

$$0.95 \div 5 = \frac{95}{100} \div 5 = \frac{95 \div 5}{100} = \frac{19}{100} = 0.19$$

[방법 2] 자연수의 나눗셈과 비교하여 계산합니다.

$$95 \div 5 = 19 \implies 0.95 \div 5 = 0.19$$

평가기준 1가지 방법을 설명할 때마다 2점씩 배점하여 총 4점이 되도록 평가합니다. | 합 4점

서술형 완성하기

빈칸을 채우며 서술형 풀이를 완성하시오.

1 72.45÷35=2.07인 이유를 2가지 방법으로 설명하시오.

[방법 1] 소수를 분수로 고쳐서 계산합니다.

$$72.45 \div 35 = \frac{\boxed{}}{100} \div 35 = \frac{\boxed{} \div 35}{100} = \frac{\boxed{}}{100} = \boxed{}$$

[방법 2] 자연수의 나눗셈과 비교하여 계산합니다.

$$7245 \div 35 = \boxed{} \implies 72.45 \div 35 = \boxed{}$$

2 90.6÷12=7.55인 이유를 2가지 방법으로 설명하시오.

[방법 1] 소수를 분수로 고쳐서 계산합니다.

$$90.6 \div 12 = \frac{906}{10} \div 12 = \frac{\boxed{}}{100} \div 12 = \frac{\boxed{} \div 12}{100} = \frac{\boxed{}}{100} = \boxed{}$$

[방법 2] 자연수의 나눗셈과 비교하여 계산합니다.

$$9060 \div 12 = \boxed{} \implies 90.6 \div 12 = \boxed{}$$

1 10.2÷6=1.7인 이유를 2가지 방법으로 설명하시오. (4점)

[방법 1]

[방법 2]

2 2.35÷5=0.47인 이유를 2가지 방법으로 설명하시오. (4점)

[방법 1]

[방법 2]

3 25.8÷12=2.15인 이유를 2가지 방법으로 설명하시오. (4점)

[방법 1]

[방법 2]

서술형 탐구

똑같은 백과사전 7권의 무게는 17.5 kg입니다. 백과사전 한 권의 무게는 몇 kg인지 풀이 과정을 쓰고 답을 구하시오. (4점)

서술 길라잡이 (백과사전 한 권의 무게)＝(백과사전 7권의 무게)÷(백과사전 수)

🖊 백과사전의 무게는 모두 같으므로 (백과사전 한 권의 무게)＝17.5÷7＝2.5(kg)입니다.
따라서 백과사전 한 권의 무게는 2.5 kg입니다.

답   2.5 kg

평가 기준	문제에 알맞은 식을 바르게 세운 경우	2점	합 4점
	답을 바르게 구한 경우	2점	

서술형 완성하기

빈칸을 채우며 서술형 풀이를 완성하고 답을 쓰시오.

1 길이가 22.16 cm인 색 테이프를 똑같이 4등분 하였습니다. 한 도막의 길이는 몇 cm인지 풀이 과정을 쓰고 답을 구하시오.

22.16 cm

🖊 (한 도막의 길이)＝(색 테이프의 길이)÷4이므로 ☐÷4＝☐(cm)입니다.
따라서 한 도막의 길이는 ☐ cm입니다.

답

2 자전거를 타고 같은 빠르기로 5시간 동안 57 km를 달렸습니다. 이 자전거는 한 시간에 몇 km를 달린 것인지 풀이 과정을 쓰고 답을 구하시오.

🖊 (한 시간에 달린 거리)＝(5시간 동안 달린 거리)÷5이므로
☐÷☐＝☐(km)입니다.
따라서 자전거가 한 시간에 달린 거리는 ☐ km입니다.

답

1 석기네 가족은 매일 같은 양의 주스를 마십니다. 석기네 가족이 일주일 동안 마신 주스의 양이 7.42 L라면 하루에 마신 주스의 양은 몇 L인지 풀이 과정을 쓰고 답을 구하시오. (4점)

답 _____

2 똑같은 연필 한 타의 무게는 75 g입니다. 연필 한 자루의 무게는 몇 g인지 풀이 과정을 쓰고 답을 구하시오. (4점)

답 _____

3 색 테이프 5장과 종이테이프 5장을 겹치지 않게 이어 붙여 길이를 재었더니 20.6 m였습니다. 색 테이프 한 장의 길이가 2.3 m라면 종이테이프 한 장의 길이는 몇 m인지 풀이 과정을 쓰고 답을 구하시오. (단, 색 테이프는 색 테이프끼리, 종이테이프는 종이테이프끼리 서로 길이가 같습니다.) (5점)

답 _____

오른쪽 그림은 넓이가 7.5 cm²이고 밑변이 3 cm인 평행사변형입니다.
이 평행사변형의 높이는 몇 cm인지 풀이 과정을 쓰고 답을 구하시오.

(4점)

3 cm

서술 길라잡이 (높이)＝(평행사변형의 넓이)÷(밑변)

✎ (높이)＝(평행사변형의 넓이)÷(밑변)이므로
$7.5 \div 3 = 2.5$(cm)입니다.
따라서 평행사변형의 높이는 2.5 cm입니다.

답 _____2.5 cm_____

평가 기준	문제에 알맞은 식을 바르게 세운 경우	2점	합 4점
	답을 바르게 구한 경우	2점	

서술형 완성하기 빈칸을 채우며 서술형 풀이를 완성하고 답을 쓰시오.

1 오른쪽 그림과 같이 넓이가 27.04 cm²인 정사각형을 4등분 하였습니다. 색칠한 부분의 넓이는 몇 cm²인지 풀이 과정을 쓰고 답을 구하시오.

✎ (색칠한 부분의 넓이)＝(정사각형의 넓이)÷4이므로

□ ÷4＝□ (cm²)입니다.

따라서 색칠한 부분의 넓이는 □ cm²입니다.

답 _____

2 오른쪽 삼각형의 넓이는 몇 cm²인지 풀이 과정을 쓰고 답을 구하시오.

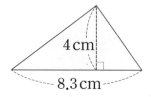

✎ (삼각형의 넓이)＝(밑변)×(높이)÷2이므로

＝□ ×□ ÷2＝□ (cm²)입니다.

따라서 삼각형의 넓이는 □ cm²입니다.

답 _____

1 오른쪽 그림과 같이 넓이가 6.48 m²인 직사각형을 9등분하였습니다. 색칠한 부분의 넓이는 몇 m²인지 풀이 과정을 쓰고 답을 구하시오. (4점)

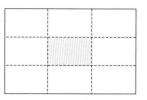

답 _____

2 오른쪽 사다리꼴의 넓이는 몇 cm²인지 풀이 과정을 쓰고 답을 구하시오. (4점)

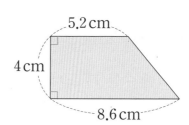

답 _____

3 오른쪽 도형의 넓이는 153.18 cm²입니다. ☐ 안에 알맞은 수는 얼마인지 풀이 과정을 쓰고 답을 구하시오. (5점)

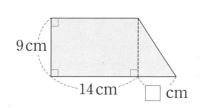

답 _____

어떤 수를 12로 나누어야 할 것을 잘못하여 12를 곱했더니 345.6이 되었습니다. 바르게 계산한 값은 얼마인지 풀이 과정을 쓰고 답을 구하시오. (6점)

> **서술 길라잡이** 어떤 수를 ☐라 하고 잘못 계산한 식에서 어떤 수를 구한 다음 바르게 계산합니다.

✏ 어떤 수를 ☐라 하면 ☐×12=345.6, ☐=345.6÷12=28.8이므로

어떤 수는 28.8입니다.

따라서 바르게 계산한 값은 28.8÷12=2.4입니다.

답 _____2.4_____

평가 기준	어떤 수를 바르게 구한 경우	3점	합 6점
	바르게 계산한 값을 구한 경우	3점	

서술형 완성하기

빈칸을 채우며 서술형 풀이를 완성하고 답을 쓰시오.

1 어떤 수를 14로 나누어야 할 것을 잘못하여 14를 곱했더니 58.8이 되었습니다. 바르게 계산한 값은 얼마인지 풀이 과정을 쓰고 답을 구하시오.

✏ 어떤 수를 ■라고 하면 ■×14=☐, ■=☐÷14=☐이므로

어떤 수는 ☐입니다.

따라서 바르게 계산한 값은 ☐÷14=☐입니다.

답 _____

2 62를 어떤 수로 나누어야 할 것을 잘못하여 곱했더니 310이 되었습니다. 바르게 계산한 값은 얼마인지 풀이 과정을 쓰고 답을 구하시오.

✏ 어떤 수를 ■라고 하면 62×■=☐, ■=☐÷62=☐이므로

어떤 수는 ☐입니다.

따라서 바르게 계산한 값은 62÷☐=☐입니다.

답 _____

1 어떤 수를 16으로 나누어야 할 것을 잘못하여 16을 곱했더니 524.8이 되었습니다. 바르게 계산한 값은 얼마인지 풀이 과정을 쓰고 답을 구하시오. (6점)

답 _____

2 어떤 수를 12로 나누어야 할 것을 잘못하여 21을 곱했더니 856.8이 되었습니다. 바르게 계산한 값은 얼마인지 풀이 과정을 쓰고 답을 구하시오. (6점)

답 _____

3 어떤 수를 23으로 나누어야 할 것을 잘못하여 32로 나누었더니 3.45가 되었습니다. 바르게 계산한 값은 얼마인지 풀이 과정을 쓰고 답을 구하시오.

답 _____

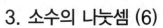

서술형 탐구

몫을 어림하여 알맞은 위치에 소수점을 찍고, 그 이유를 설명하시오. (6점)

$$27.75 \div 3 = 9\underset{\cdot}{\,}2\square5$$

서술 길라잡이 소수 나눗셈의 수를 간단한 자연수로 반올림하여 계산한 후 어림한 결과와 계산한 결과의 크기를 비교하여 소수점의 위치를 알아봅니다.

✎ 27.75를 반올림하여 자연수로 나타내면 28입니다.

28을 3으로 나누면 몫은 9이고 나머지가 1이므로 27.75÷3의 몫은 9보다 큰 수입니다.

따라서 27.75÷3＝9.25입니다.

평가 기준	알맞은 위치에 소수점을 찍은 경우	3점	합 6점
	그 이유를 바르게 설명한 경우	3점	

서술형 완성하기

빈칸을 채우며 서술형 풀이를 완성하시오.

1 몫을 어림하여 알맞은 위치에 소수점을 찍고, 그 이유를 설명하시오.

$$67.5 \div 5 = 1\square3\square5$$

✎ 67.5를 반올림하여 자연수로 나타내면 ☐ 입니다.

☐ 을 5로 나누면 몫은 ☐ 이고 나머지가 ☐ 이므로 67.5÷5의 몫은 ☐ 보다 큰 수입니다.

따라서 67.5÷5＝ ☐ 입니다.

2 몫을 어림하여 알맞은 위치에 소수점을 찍고, 그 이유를 설명하시오.

$$72.9 \div 6 = 1\square2\square1\square5$$

✎ 72.9를 반올림하여 자연수로 나타내면 ☐ 입니다.

☐ 을 6으로 나누면 몫은 ☐ 이고 나머지가 ☐ 이므로 72.9÷6의 몫은 ☐ 보다 큰 수입니다.

따라서 72.9÷6＝ ☐ 입니다.

1 몫을 어림하여 알맞은 위치에 소수점을 찍고, 그 이유를 설명하시오. (6점)

$$24.3 \div 15 = 1\square6\square2$$

2 몫을 어림하여 알맞은 위치에 소수점을 찍고, 그 이유를 설명하시오. (6점)

$$462.5 \div 25 = 1\square8\square5$$

3 몫을 어림하여 알맞은 위치에 소수점을 찍고, 그 이유를 설명하시오. (6점)

$$171.5 \div 14 = 1\square2\square2\square5$$

 계산이 <u>틀린</u> 곳을 찾아 이유를 쓰고, 바르게 고쳐 보시오. (4점)

$$
\begin{array}{r}
2.7 \\
13\overline{)2\ 6.9\ 1} \\
2\ 6 \\
\hline
9\ 1 \\
9\ 1 \\
\hline
0
\end{array}
$$

➡

$$
13\overline{)2\ 6.9\ 1}
$$

 $56.7 \div 14 = 4.05$인 이유를 2가지 방법으로 설명하시오. (4점)

[방법 1]

[방법 2]

 문구점에 철사가 118.75 m 있습니다. 이 철사를 5 m씩 잘라 한 도막에 350원씩 팔았습니다. 철사를 판 돈은 모두 얼마인지 풀이 과정을 쓰고 답을 구하시오. (5점)

답 _____

4 오른쪽 사다리꼴의 넓이는 133.12 cm²입니다. 이 사다리꼴의 윗변은 몇 cm인지 풀이 과정을 쓰고 답을 구하시오. (4점)

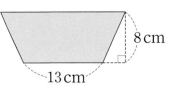

8 cm

13 cm

답 _____

5 어떤 수를 13으로 나누어야 할 것을 잘못하여 13을 곱했더니 679.38이 되었습니다. 바르게 계산한 값은 얼마인지 풀이 과정을 쓰고 답을 구하시오. (6점)

답 _____

6 몫을 어림하여 알맞은 위치에 소수점을 찍고, 그 이유를 설명하시오. (6점)

$$47.28 \div 24 = 1 \square 9 \square 7$$

논리적 사고력을 키워주는
숫자 퍼즐 스도쿠

◨ 게임 방법

1. 모든 세로줄에는 1부터 9까지의 숫자가 겹치지 않게 한 번씩만 들어갑니다.

2. 모든 가로줄에는 1부터 9까지의 숫자가 겹치지 않게 한 번씩만 들어갑니다.

3. 가로, 세로 3×3으로 이루어진 굵은 테두리의 작은 사각형 안에도 1부터 9까지의 숫자가 겹치지 않게 한 번씩만 들어갑니다.

4		5	3	1	8			
7	6							2
8	9			5		6		
		7	5				8	9
	4		8		7		6	
9	5				6	2		
		4		1			3	6
2							4	5
		6	4	7		9		8

4 비와 비율

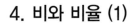

규형이는 수학 시험에서 25문제 중 17문제를 맞혔습니다. 전체 문제 수에 대한 맞힌 문제 수의 비율을 백분율로 나타내려고 합니다. 풀이 과정을 쓰고 답을 구하시오. (4점)

서술 길라잡이 기준량을 100으로 볼 때의 비율을 알아봅니다.

✎ 전체 문제 수에 대한 맞힌 문제 수의 비율을 백분율로 나타내면

$$\frac{17}{25} = \frac{17 \times 4}{25 \times 4} = \frac{68}{100}$$ 이므로 68%입니다.

답 ___68%___

평가기준		
비율을 분수로 바르게 나타낸 경우	1점	합 4점
기준량이 100인 분수로 바르게 나타낸 경우	2점	
백분율로 바르게 나타낸 경우	1점	

서술형 완성하기 빈칸을 채우며 서술형 풀이를 완성하고 답을 쓰시오.

1 동민이는 10개의 다트를 던져 7개를 다트판에 맞혔습니다. 전체 던진 횟수에 대한 다트판에 맞힌 다트 수의 비율을 백분율로 나타내려고 합니다. 풀이 과정을 쓰고 답을 구하시오.

✎ 전체 던진 횟수에 대한 다트판에 맞힌 다트 수의 비율을 백분율로 나타내면

$$\frac{\boxed{}}{10} = \frac{\boxed{} \times 10}{10 \times 10} = \frac{\boxed{}}{100}$$ 이므로 $\boxed{}$ %입니다.

답 _____

2 오른쪽 그림을 보고 전체에 대한 색칠한 부분의 비율을 백분율로 나타내려고 합니다. 풀이 과정을 쓰고 답을 구하시오.

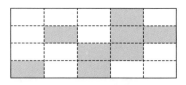

✎ 전체는 20칸이고 색칠한 부분은 $\boxed{}$ 칸이므로 전체에 대한 색칠한 부분의 비율을 백분율로

나타내면 $\frac{\boxed{}}{20} = \frac{\boxed{} \times \boxed{}}{20 \times 5} = \frac{\boxed{}}{100}$ 이므로 $\boxed{}$ %입니다.

답 _____

서술형 정복하기

1 사과가 모두 25개 있었는데 그중에서 3개가 썩었습니다. 전체 사과 수에 대한 썩은 사과 수의 비율을 백분율로 나타내려고 합니다. 풀이 과정을 쓰고 답을 구하시오. (4점)

답 _____

2 오른쪽 그림을 보고 전체에 대한 색칠한 부분의 비율을 백분율로 나타내려고 합니다. 풀이 과정을 쓰고 답을 구하시오. (5점)

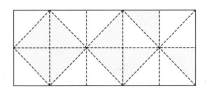

답 _____

3 학교 화단의 꽃을 조사하여 나타낸 표입니다. 장미는 전체 꽃의 몇 %인지 풀이 과정을 쓰고 답을 구하시오. (5점)

종류	장미	봉선화	해바라기	과꽃
꽃의 수(송이)	21	12	10	7

답 _____

어느 프로야구 선수의 타율은 0.23입니다. 이 선수가 200번 타석에 섰다면 몇 개의 안타를 친 것인지 풀이 과정을 쓰고 답을 구하시오. (4점)

> **서술 길라잡이** (비율)=$\dfrac{(비교하는 양)}{(기준량)}$이므로 (비교하는 양)=(비율)×(기준량)입니다.

✎ (비교하는 양)=(비율)×(기준량)이므로 구하는 안타 수는

$0.23 \times 200 = 46$(개) 또는 $\dfrac{23}{100} \times 200 = 46$(개)입니다.

답 ___46개___

평가 기준	비교하는 양은 비율과 기준량의 곱임을 알고 있는 경우	2점	합 4점
	비교하는 양을 바르게 구한 경우	2점	

서술형 완성하기

빈칸을 채우며 서술형 풀이를 완성하고 답을 쓰시오.

1 장난감 공장에서 만든 장난감 중에서 전체의 0.106이 불량품이라고 합니다. 이 공장에서 500개의 장난감을 만들었다면 몇 개의 불량품이 나오겠는지 풀이 과정을 쓰고 답을 구하시오.

✎ (비교하는 양)=($\boxed{}$)×(기준량)이므로

나올 수 있는 불량품 수는 $\boxed{} \times 500 = \boxed{}$(개)

또는 $\dfrac{\boxed{}}{1000} \times 500 = \boxed{}$(개)입니다.

답 _____

2 동민이네 학교의 학생 800명 중에서 30 %는 태권도를 배우고 있습니다. 태권도를 배우는 학생은 몇 명인지 풀이 과정을 쓰고 답을 구하시오.

✎ 30 %를 분수로 나타내면 $\dfrac{\boxed{}}{100}$입니다.

따라서 태권도를 배우는 학생 수는 $\dfrac{\boxed{}}{100} \times 800 = \boxed{}$(명)입니다.

답 _____

1 영수네 마을은 500가구입니다. 이 중 신문을 보는 가구는 전체 가구의 0.75라고 할 때, 신문을 보는 가구는 몇 가구인지 풀이 과정을 쓰고 답을 구하시오. (4점)

답 _____

2 지혜네 학교의 6학년 학생은 모두 250명입니다. 남학생이 전체 학생 수의 56 %라고 할 때, 남학생은 몇 명인지 풀이 과정을 쓰고 답을 구하시오. (4점)

답 _____

3 어느 지역의 넓이는 1500 km²입니다. 그중 전체의 0.624가 농경지일 때 농경지가 차지하는 넓이는 몇 km²인지 풀이 과정을 쓰고 답을 구하시오. (4점)

답 _____

어느 서점에서 5000원짜리 동화책을 3500원에 판매합니다. 이 서점은 동화책을 몇 % 할인한 금액으로 판매하고 있는지 풀이 과정을 쓰고 답을 구하시오. (4점)

서술 길라잡이 할인율은 정가에 대한 할인한 금액의 비율을 나타낸 것입니다.

할인한 금액은 $5000-3500=1500$(원)이고 할인율은 $\dfrac{1500}{5000}=\dfrac{30}{100}$이므로 30 %입니다.

따라서 동화책을 30 % 할인한 금액으로 판매하고 있습니다.

답 _____30 %_____

평가기준	할인한 금액을 바르게 구한 경우	1점	합 4점
	할인율을 바르게 구한 경우	3점	

서술형 완성하기

빈칸을 채우며 서술형 풀이를 완성하고 답을 쓰시오.

1 과일 가게에서 15000원짜리 수박을 12000원에 판매하고 있습니다. 이 과일 가게에서는 수박을 몇 % 할인한 가격으로 판매하고 있는지 풀이 과정을 쓰고 답을 구하시오.

할인한 금액은 $15000-12000=\boxed{}$(원)이고 할인율은 $\dfrac{\boxed{}}{15000}=\dfrac{\boxed{}}{100}$이므로

$\boxed{}$ %입니다.

따라서 수박을 $\boxed{}$ % 할인한 금액으로 판매하고 있습니다.

답 _____

2 작년에는 오이 한 개에 800원이었는데, 올해에는 오이 한 개에 600원입니다. 오이 값은 작년에 비해 몇 % 내렸는지 풀이 과정을 쓰고 답을 구하시오.

작년과 올해 오이 한 개의 값의 차는 $800-600=\boxed{}$(원)입니다.

따라서 오이 값은 작년에 비해 $\dfrac{\boxed{}}{800}=\dfrac{\boxed{}}{100}$이므로 $\boxed{}$ % 내렸습니다.

답 _____

1 어느 매장에서 5000원짜리 거울을 4400원에 판매합니다. 이 매장은 거울을 몇 % 할인한 금액으로 판매하고 있는지 풀이 과정을 쓰고 답을 구하시오. (4점)

답 _____

2 작년에는 배추 한 포기에 500원이었는데, 올해에는 배추 한 포기에 800원입니다. 배추 값은 작년에 비해 몇 % 올랐는지 풀이 과정을 쓰고 답을 구하시오. (4점)

3 어느 옷가게에서 다음과 같이 물건을 할인하여 팝니다. 더 많이 할인하는 것은 어느 것인지 풀이 과정을 쓰고 답을 구하시오. (5점)

품목	정가	판매 가격
티셔츠	12000원	10200원
반바지	10000원	9000원

웅이는 다트 10개를 던져서 다트판에 7개를 맞혔고, 영수는 다트 8개를 던져서 다트판에 6개를 맞혔습니다. 누가 더 잘 던졌는지 풀이 과정을 쓰고 답을 구하시오. (4점)

서술 길라잡이 백분율로 나타내어 기준량을 같게 하여 비교합니다.

✎ 웅이의 성공률은 $\dfrac{7}{10} = \dfrac{7 \times 10}{10 \times 10} = \dfrac{70}{100}$ 이므로 70 %이고,

영수의 성공률은 $\dfrac{6}{8} = \dfrac{3}{4} = \dfrac{3 \times 25}{4 \times 25} = \dfrac{75}{100}$ 이므로 75 %입니다.

따라서 영수가 더 잘 던졌습니다.

답 ____영수____

평가 기준		
비율을 분수로 바르게 나타낸 경우	1점	합 4점
기준량을 같게 하여 백분율을 바르게 나타낸 경우	2점	
답을 바르게 구한 경우	1점	

서술형 완성하기 빈칸을 채우며 서술형 풀이를 완성하고 답을 쓰시오.

1 어린이 야구단의 타자 효근이는 투수가 던진 25개의 공들 중에서 안타를 18개 쳤고, 신영이는 20개의 공들 중에서 안타를 13개 쳤습니다. 누가 더 잘 쳤는지 풀이 과정을 쓰고 답을 구하시오.

✎ 효근이의 타율은 $\dfrac{\boxed{}}{25} = \dfrac{\boxed{} \times 4}{25 \times 4} = \dfrac{\boxed{}}{100}$ 이므로 $\boxed{}$ %이고,

신영이의 타율은 $\dfrac{\boxed{}}{20} = \dfrac{\boxed{} \times 5}{20 \times 5} = \dfrac{\boxed{}}{100}$ 이므로 $\boxed{}$ %입니다.

따라서 $\boxed{}$ 이가 더 잘 쳤습니다.

답 _____

2 체육시간에 농구 연습을 하였습니다. 한초는 20번을 던져 11번 성공시켰고, 석기는 50번을 던져 39번 성공시켰습니다. 슛 성공률은 누가 더 좋은지 풀이 과정을 쓰고 답을 구하시오.

✎ $\dfrac{\boxed{}}{20} = \dfrac{\boxed{} \times 5}{20 \times 5} = \dfrac{\boxed{}}{100}$ 이므로 한초의 성공률은 $\boxed{}$ %이고,

$\dfrac{\boxed{}}{50} = \dfrac{\boxed{} \times 2}{50 \times 2} = \dfrac{\boxed{}}{100}$ 이므로 석기의 성공률은 $\boxed{}$ %입니다.

따라서 슛 성공률은 $\boxed{}$ 가 더 좋습니다.

답 _____

1 가영이는 핸드볼 연습을 했습니다. 어제는 공 20개 중에서 7개를 골인시켰고, 오늘은 공 15개 중에서 3개를 골인시켰습니다. 어제와 오늘 중 더 잘 한 날은 언제인지 풀이 과정을 쓰고 답을 구하시오. (4점)

답 _____

2 고리던지기놀이를 하였습니다. 웅이는 고리 16개를 던져 4개가 걸렸고, 예슬이는 10개를 던져 3개가 걸렸습니다. 성공률은 누가 더 좋은지 풀이 과정을 쓰고 답을 구하시오. (4점)

답 _____

3 한솔이와 규형이가 승부차기 연습을 하고 있습니다. 한솔이는 공 40개 중에서 22개가 골인됐고, 규형이는 공 30개 중에서 24개가 골인됐습니다. 누가 더 잘 했는지 풀이 과정을 쓰고 답을 구하시오. (4점)

답 _____

서술형 탐구

똑같은 계산기를 마트와 문구점에서 팔고 있습니다. 마트에서는 가격이 6000원인데 10 %를 할인해 주고, 문구점에서는 가격이 7000원인데 20 %를 할인해 준다고 합니다. 계산기를 어느 곳에서 더 싸게 살 수 있는지 풀이 과정을 쓰고 답을 구하시오. (5점)

서술 길라잡이 ☐ %를 할인해 주면 판매 가격은 정가의 (100−☐) %입니다.

✎ 마트의 판매 가격은 6000의 90 %이므로 6000 × $\frac{90}{100}$ =5400(원)이고

문구점의 판매 가격은 7000의 80 %이므로 7000 × $\frac{80}{100}$ =5600(원)입니다.

따라서 계산기를 마트에서 더 싸게 살 수 있습니다.　　　**답**　　　마트

평가기준	마트에서의 판매 가격을 바르게 구한 경우	2점	합 5점
	문구점에서의 판매 가격을 바르게 구한 경우	2점	
	답을 바르게 구한 경우	1점	

서술형 완성하기　빈칸을 채우며 서술형 풀이를 완성하고 답을 쓰시오.

1 똑같은 신발을 신발 가게와 백화점에서 오른쪽과 같이 팔고 있습니다. 신발을 어느 곳에서 더 싸게 살 수 있는지 풀이 과정을 쓰고 답을 구하시오.

	정가	할인율
신발 가게	22000원	25 %
백화점	35000원	30 %

✎ 신발 가게의 판매 가격은 22000원의 ☐ %이므로 22000 × $\frac{☐}{100}$ = ☐ (원)이고

백화점의 판매 가격은 35000원의 ☐ %이므로 35000 × $\frac{☐}{100}$ = ☐ (원)입니다.

따라서 신발을 ☐ 에서 더 싸게 살 수 있습니다.　　**답**　　　　　

2 똑같은 가방을 마트와 백화점에서 팔고 있습니다. 마트에서는 가격이 25000원인데 10 %를 할인해 주고, 백화점에서는 가격이 30000원인데 15 %를 할인해 준다고 합니다. 가방을 어느 곳에서 더 싸게 살 수 있는지 풀이 과정을 쓰고 답을 구하시오.

✎ 마트의 판매 가격은 25000원의 ☐ %이므로 25000 × $\frac{☐}{100}$ = ☐ (원)이고

백화점의 판매 가격은 30000원의 ☐ %이므로 30000 × $\frac{☐}{100}$ = ☐ (원)입니다.

따라서 가방을 ☐ 에서 더 싸게 살 수 있습니다.　　**답**

1 똑같은 전자시계를 ㉮ 백화점과 ㉯ 백화점에서 팔고 있습니다. ㉮ 백화점에서는 가격이 6000원인데 10 %를 할인해 주고, ㉯ 백화점에서는 가격이 6400원인데 15 %를 할인해 준다고 합니다. 전자시계를 어느 곳에서 더 싸게 살 수 있는지 풀이 과정을 쓰고 답을 구하시오. (5점)

답 _____

2 똑같은 마우스를 마트와 인터넷 쇼핑몰에서 팔고 있습니다. 마트에서는 가격이 8500원인데 20 %를 할인해 주고, 인터넷 쇼핑몰에서는 가격이 9800원인데 25 %를 할인해 준다고 합니다. 마우스를 어느 곳에서 더 싸게 살 수 있는지 풀이 과정을 쓰고 답을 구하시오. (5점)

답 _____

3 똑같은 포기김치를 백화점과 홈쇼핑에서 팔고 있습니다. 백화점에서는 포기김치 한 봉지의 가격이 5200원인데 10 %를 할인해 주고, 홈쇼핑에서는 가격이 4400원인데 5 %를 할인해 준다고 합니다. 포기김치를 어느 곳에서 더 싸게 살 수 있는지 풀이 과정을 쓰고 답을 구하시오. (5점)

답 _____

A 열차역에서 B 열차역까지는 285 km입니다. 열차가 A역에서 B역까지 가는 데 3시간이 걸립니다. 열차가 1시간 동안 평균 몇 km를 가는지 풀이 과정을 쓰고 답을 구하시오. (5점)

> **서술 길라잡이** 열차가 1시간 동안 간 평균 거리는 걸린 시간에 대한 간 거리의 비율과 같습니다.

🖉 열차가 1시간 동안 간 평균 거리는 걸린 시간에 대한 간 거리의 비율과 같습니다.

따라서 열차가 1시간 동안 간 평균 거리는 $\dfrac{285}{3}=95\,(km)$입니다.

답 95 km

평가 기준	걸린 시간에 대한 간 거리의 비율을 구한 경우	2점	합 5점
	1시간 동안 간 평균 거리를 구한 경우	3점	

서술형 완성하기 빈칸을 채우며 서술형 풀이를 완성하고 답을 쓰시오.

1 버스가 1초에 20 m를 가는 빠르기로 5분 30초 동안 달렸습니다. 버스가 달린 거리는 몇 km 몇 m인지 풀이 과정을 쓰고 답을 구하시오.

🖉 걸린 시간에 대한 간 거리의 비율이 20이므로

$\dfrac{(간\ 거리)}{(걸린\ 시간)}=$ ☐ ➡ (간 거리)= ☐ ×(걸린 시간)입니다.

5분 30초는 ☐ 초이므로 걸린 시간은 ☐ 초입니다.

따라서 버스가 달린 거리는 20× ☐ = ☐ (m)이므로 ☐ km ☐ m입니다.

답 _____

2 넓이가 360 km²인 땅에 144000명이 살고 있습니다. 넓이에 대한 인구 수의 비율을 구하는 풀이 과정을 쓰고 답을 구하시오.

🖉 넓이에 대한 인구 수의 비율은 $\dfrac{(인구\ 수)}{(넓이)}$입니다.

따라서 넓이에 대한 인구 수의 비율은 $\dfrac{\boxed{}}{360}=$ ☐ 입니다.

답 _____

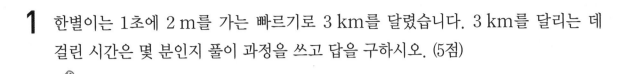

1 한별이는 1초에 2 m를 가는 빠르기로 3 km를 달렸습니다. 3 km를 달리는 데 걸린 시간은 몇 분인지 풀이 과정을 쓰고 답을 구하시오. (5점)

답 _____

2 넓이에 대한 인구 수의 비율이 1200인 지역이 있습니다. 이 지역의 넓이가 200 km² 일 때 이 지역에 사는 인구는 몇 명인지 풀이 과정을 쓰고 답을 구하시오. (5점)

답 _____

3 진하기가 10 %인 설탕물 500 g과 진하기가 15 %인 설탕물 400 g이 있습니다. 어느 설탕물에 녹아 있는 설탕의 양이 얼마나 더 많은지 풀이 과정을 쓰고 답을 구하시오.
(5점)

답 _____

1 귤이 24개 있습니다. 이 중 6개를 먹는다면 귤 전체에 대한 남는 귤의 비율은 얼마인지 백분율로 나타내려고 합니다. 풀이 과정을 쓰고 답을 구하시오. (4점)

답 _____

2 전자 대리점에서 팔고 있는 선풍기 한 대의 가격은 84000원입니다. 선풍기 한 대당 이익이 판매 가격의 14 %라고 합니다. 선풍기 2대를 팔았다면 전자 대리점에서 생기는 이익금은 얼마인지 풀이 과정을 쓰고 답을 구하시오. (4점)

답 _____

3 1권에 800원 하는 공책이 920원으로 오르고, 1자루에 500원 하는 연필이 600원으로 올랐습니다. 공책과 연필 중에서 오른 비율이 더 큰 것은 무엇인지 풀이 과정을 쓰고 답을 구하시오. (5점)

답 _____

행복 은행과 기쁨 은행에 예금한 돈과 이자를 나타낸 것입니다. 예슬이는 용돈으로 모은 30000원을 예금하려고 합니다. 어느 은행에 예금하는 것이 더 이익인지 풀이 과정을 쓰고 답을 구하시오. (단, 두 은행에 예금한 기간은 모두 1년입니다.) (5점)

은행	예금한 돈	이자
행복	40000원	400원
기쁨	12500원	250원

 답 _____

 똑같은 음료수를 마트와 편의점에서 팔고 있습니다. 마트에서는 음료수의 가격이 850원인데 10 %를 할인해 주고, 편의점에서는 가격이 950원인데 12 %를 할인해 준다고 합니다. 음료수를 어느 곳에서 더 싸게 살 수 있는지 풀이 과정을 쓰고 답을 구하시오. (5점)

답 _____

 소금물 400 g에 소금이 80 g 녹아 있습니다. 이 소금물의 진하기는 몇 %인지 풀이 과정을 쓰고 답을 구하시오. (5점)

 답 _____

논리적 사고력을 키워주는
숫자 퍼즐 스도쿠

◾ 게임 방법
1. 모든 세로줄에는 1부터 9까지의 숫자가 겹치지 않게 한 번씩만 들어갑니다.
2. 모든 가로줄에는 1부터 9까지의 숫자가 겹치지 않게 한 번씩만 들어갑니다.
3. 가로, 세로 3×3으로 이루어진 굵은 테두리의 작은 사각형 안에도 1부터 9까지의 숫자가 겹치지 않게 한 번씩만 들어갑니다.

3			8	4				
	4		7		3		8	5
				5			7	3
7	6	5	1					
					7	5	4	8
2		4		3		7		1
4	9			2				
8	3		6		5		2	
				9	8			6

5 여러 가지 그래프

서술형 탐구

다음은 신영이네 학교 6학년 학생들이 농장 체험 학습을 가서 캔 고구마 수를 반별로 조사하여 나타낸 그림그래프입니다. 1반과 3반이 캔 고구마 수의 차는 몇 개인지 풀이 과정을 쓰고 답을 구하시오. (4점)

반별 캔 고구마 수

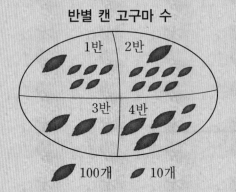

🖊️ 1반이 캔 고구마 수는 150개이고 3반이 캔 고구마 수는 210개입니다.

따라서 두 반이 캔 고구마 수의 차는 210−150=60(개)입니다.

답   60개

평가 기준	두 반이 캔 고구마 수를 바르게 구한 경우	2점	합 4점
	답을 바르게 구한 경우	2점	

서술형 완성하기

빈칸을 채우며 서술형 풀이를 완성하고 답을 쓰시오.

1 다음은 마을별 마늘 생산량을 조사하여 나타낸 그림그래프입니다. **나** 마을과 **라** 마을의 마늘 생산량의 합은 몇 kg인지 풀이 과정을 쓰고 답을 구하시오.

마을별 마늘 생산량

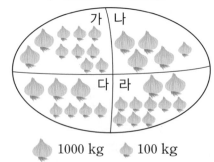

🖍️ 나 마을의 생산량은 ☐☐☐ kg이고 라 마을의 생산량은 ☐☐☐ kg입니다.

따라서 두 마을의 마늘 생산량의 합은 ☐☐☐ + ☐☐☐ = ☐☐☐ (kg)입니다.

답 _____

1 어느 노트북 회사에서 한 달 동안 판매한 노트북의 수량을 도별로 조사하여 나타낸 그림그래프입니다. 경기도와 전라북도의 노트북 판매량의 차는 몇 대인지 풀이 과정을 쓰고 답을 구하시오. (4점)

도별 노트북 판매량

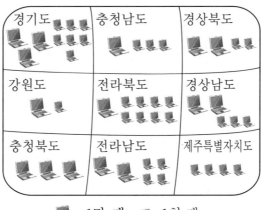

🖥 1만 대 💻 1천 대

답 _____

2 오른쪽은 2015년부터 2018년까지 오징어 포획량을 조사하여 나타낸 그림그래프입니다. 2015년과 2017년에 오징어 포획량의 합은 몇 톤인지 풀이 과정을 쓰고 답을 구하시오. (4점)

오징어 포획량

🦑 10만 톤 🦑 1만 톤

답 _____

오른쪽은 가영이네 반 학생들의 혈액형을 조사하여 나타낸 띠그래프입니다. 혈액형이 B형인 학생 수는 AB형인 학생 수의 몇 배인지 풀이 과정을 쓰고 답을 구하시오. (4점)

〈혈액형〉

0 10 20 30 40 50 60 70 80 90 100(%)

O형 (38 %)	A형 (32 %)	B형

AB형(10 %)

서술 길라잡이 띠그래프에서 혈액형이 B형인 학생이 차지하는 백분율을 먼저 구합니다.

✎ 혈액형이 B형인 학생 수는 전체의 $100-(38+32+10)=20(\%)$입니다.

따라서 혈액형이 B형인 학생 수는 AB형인 학생 수의 $20÷10=2$(배)입니다.

답 ___2배___

평가 기준	혈액형이 B형인 학생 수의 백분율을 바르게 구한 경우	2점	합 4점
	혈액형이 B형인 학생 수는 AB형인 학생 수의 몇 배인지 바르게 구한 경우	2점	

서술형 완성하기

빈칸을 채우며 서술형 풀이를 완성하고 답을 쓰시오.

[1~2] 오른쪽은 한별이네 마을 직장인들의 출근시 교통 수단을 조사하여 나타낸 띠그래프입니다. 물음에 답하시오.

〈출근시 교통 수단〉

0 10 20 30 40 50 60 70 80 90 100(%)

지하철 (36 %)	자가용 (20 %)	버스 (18 %)	도보 (16 %)	

기타(10 %)

1 지하철을 이용하여 출근하는 직장인 수는 버스를 이용하여 출근하는 직장인 수의 몇 배인지 풀이 과정을 쓰고 답을 구하시오.

✎ 지하철을 이용하여 출근하는 직장인 수는 전체의 ☐%이고 버스를 이용하여 출근하는 직장인 수는 전체의 ☐%입니다. 따라서 ☐÷☐=☐(배)입니다.

답 _____

2 한별이네 마을 직장인들이 모두 200명이라면 자가용을 이용하여 출근하는 직장인 수는 몇 명인지 풀이 과정을 쓰고 답을 구하시오.

✎ 자가용을 이용하여 출근하는 직장인 수는 전체의 ☐%이므로 자가용을 이용하여 출근하는 직장인 수는 $200×$☐$=$☐(명)입니다.

답 _____

[1~3] 다음은 어느 도시의 연령별 인구 구성비의 변화를 나타낸 띠그래프입니다. 물음에 답하시오.

〈연령별 인구 구성비의 변화〉

20세 미만	20세 이상 60세 미만	60세 이상

(단위:%)

	20세 미만	20세 이상 60세 미만	60세 이상
2014년	27.9	63.1	9
2015년	21.9	69.8	8.3
2016년	19.1	75.4	5.5
2017년	17.5	77.2	5.3
2018년	16.1	80.5	3.4

1 2014년의 20세 미만 인구 비율은 60세 이상 인구 비율의 몇 배인지 풀이 과정을 쓰고 답을 구하시오. (4점)

답 _____

2 2016년의 이 도시의 전체 인구는 55000명입니다. 20세 이상 60세 미만의 인구는 몇 명인지 풀이 과정을 쓰고 답을 구하시오. (5점)

답 _____

3 위 그래프를 보고 연령별 인구 구성비가 어떻게 변화되었는지 설명해 보시오. (4점)

오른쪽은 동민이네 학교 학생 200명이 제일 좋아하는 과목을 조사하여 나타낸 띠그래프입니다. 가장 많은 학생들이 좋아하는 과목은 몇 명이 좋아하는지 풀이 과정을 쓰고 답을 구하시오. (5점)

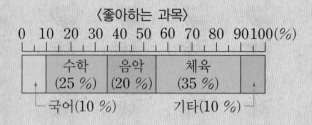

〈좋아하는 과목〉

0 10 20 30 40 50 60 70 80 90 100(%)

| 수학 (25 %) | 음악 (20 %) | 체육 (35 %) | |

└ 국어(10 %) 기타(10 %) ┘

서술 길라잡이 띠그래프에서 가장 많은 학생들이 좋아하는 과목을 먼저 찾아봅니다.

✎ 가장 많은 학생들이 좋아하는 과목은 35 %를 차지하는 체육이므로

(체육을 좋아하는 학생 수)$=200 \times \dfrac{35}{100} = 70$(명)입니다.

답 _____70명_____

평가 기준	가장 많은 학생들이 좋아하는 과목을 바르게 찾은 경우	2점	합 5점
	학생 수를 바르게 구한 경우	3점	

서술형 완성하기 빈칸을 채우며 서술형 풀이를 완성하고 답을 쓰시오.

1 오른쪽은 효근이네 학교 학생 300명이 제일 좋아하는 동물을 조사하여 나타낸 띠그래프입니다. 강아지를 좋아하는 학생은 사자를 좋아하는 학생보다 몇 명 더 많은지 풀이 과정을 쓰고 답을 구하시오.

〈좋아하는 동물〉

0 10 20 30 40 50 60 70 80 90 100(%)

| 강아지 (35 %) | 토끼 (30 %) | 사자 (25 %) | |

기타(10 %) ┘

✎ 강아지 : $300 \times \dfrac{\boxed{}}{100} = \boxed{}$(명), 사자 : $300 \times \dfrac{\boxed{}}{100} = \boxed{}$(명)

따라서 강아지를 좋아하는 학생은 사자를 좋아하는 학생보다

$\boxed{} - \boxed{} = \boxed{}$(명) 더 많습니다.

답 _____

2 오른쪽은 상연이네 반 학생들이 신청한 방과 후 수업을 조사하여 나타낸 띠그래프입니다. 미술을 신청한 학생이 9명일 때 상연이네 반 학생은 모두 몇 명인지 풀이 과정을 쓰고 답을 구하시오.

〈방과 후 수업〉

| 컴퓨터 (40 %) | 미술 (30 %) | 바둑 (20 %) | |

독서(10 %) ┘

✎ 상연이네 반 학생 수를 ■명이라 하면 $■ \times \dfrac{\boxed{}}{100} = 9$에서 $■ = \boxed{}$입니다.

따라서 상연이네 반 학생은 $\boxed{}$명입니다.

답 _____

1 오른쪽은 석기네 학교 학생 400명이 어린이날 가장 받고 싶어 하는 선물을 조사하여 나타낸 띠그래프입니다. 가장 많은 학생들이 받고 싶어 하는 선물은 몇 명이 받고 싶어 하는지 풀이 과정을 쓰고 답을 구하시오. (5점)

〈받고 싶어 하는 선물〉

0	10	20	30	40	50	60	70	80	90	100(%)

옷 (15 %)	게임기 (30 %)	학용품 (20 %)	장난감 (20 %)	기타 (15 %)

답 _____

2 오른쪽은 동민이네 학교 학생 500명의 아버지의 직업을 조사하여 나타낸 띠그래프입니다. 아버지의 직업이 회사원인 학생은 공무원인 학생보다 몇 명 더 많은지 풀이 과정을 쓰고 답을 구하시오. (5점)

〈아버지의 직업〉

0	10	20	30	40	50	60	70	80	90	100(%)

회사원 (25 %)	상업 (35 %)	공무원 (20 %)	기타 (20 %)

답 _____

3 오른쪽은 지혜네 아파트에서 구독하는 신문의 종류를 조사하여 나타낸 띠그래프입니다. 나 신문을 구독하는 집이 98가구일 때 지혜네 아파트는 모두 몇 가구인지 풀이 과정을 쓰고 답을 구하시오. (5점)

〈구독하는 신문〉

가 신문 (30 %)	나 신문 (35 %)	다 신문 (15 %)	라 신문 (20 %)

답 _____

오른쪽은 영수네 집의 한 달 생활비 지출 내역을 조사하여 나타낸 원그래프입니다. 가장 많은 지출과 가장 적은 지출을 더한 것은 전체의 몇 %인지 풀이 과정을 쓰고 답을 구하시오. (5점)

서술 길라잡이 원그래프에서 저축이 차지하는 비율을 먼저 구합니다.

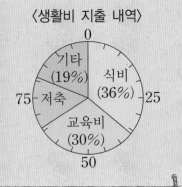

〈생활비 지출 내역〉

저축이 차지하는 비율은 $100-(36+30+19)=15(\%)$입니다.

따라서 가장 많은 지출은 36 %인 식비이고 가장 적은 지출은 15 %인 저축이므로

가장 많은 지출과 가장 적은 지출을 더한 것은 전체의 $36+15=51(\%)$입니다.

답　　51 %

평가 기준	저축이 차지하는 비율을 바르게 구한 경우	2점	합 5점
	가장 많은 지출과 가장 적은 지출을 더한 것의 비율을 바르게 구한 경우	3점	

서술형 완성하기 　빈칸을 채우며 서술형 풀이를 완성하고 답을 쓰시오.

[1~2] 오른쪽은 예슬이네 반 회장 선거에서 입후보자별 득표율을 조사하여 나타낸 원그래프입니다. 물음에 답하시오.

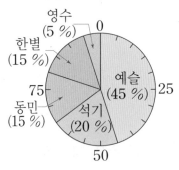

〈입후보자별 득표율〉

1 예슬이의 득표율은 한별이의 득표율의 몇 배인지 풀이 과정을 쓰고 답을 구하시오.

　예슬이의 득표율은 □ %이고 한별이의 득표율은

□ %입니다. 따라서 □ ÷ □ = □ (배)입니다.

답 _____

2 예슬이네 반 학생 수가 20명이라고 할 때 석기가 얻은 표는 몇 표인지 풀이 과정을 쓰고 답을 구하시오.

　석기의 득표율은 □ %이므로 석기가 얻은 표는 $20 \times \dfrac{\square}{100} = \square$ (표)입니다.

답 _____

[1~3] 오른쪽은 규형이네 반 학생들이 제일 좋아하는 과목을 조사하여 나타낸 원그래프입니다. 물음에 답하시오.

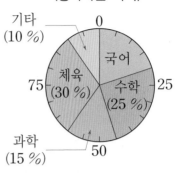

〈좋아하는 과목〉

1 체육을 좋아하는 학생 수는 과학을 좋아하는 학생 수의 몇 배인지 풀이 과정을 쓰고 답을 구하시오. (4점)

답 _____

2 가장 많은 학생들이 좋아하는 과목은 무엇인지 풀이 과정을 쓰고 답을 구하시오. (4점)

답 _____

3 규형이네 반 학생 수가 모두 20명일 때 수학을 좋아하는 학생 수는 몇 명인지 풀이 과정을 쓰고 답을 구하시오. (4점)

답 _____

오른쪽은 가영이네 학교 학생 300명이 제일 좋아하는 과일을 조사하여 나타낸 원그래프입니다. 가장 많은 학생들이 좋아하는 과일은 몇 명이 좋아하는지 풀이 과정을 쓰고 답을 구하시오. (5점)

서술 길라잡이 원그래프에서 가장 많은 학생들이 좋아하는 과일을 먼저 찾아봅니다.

〈좋아하는 과일〉

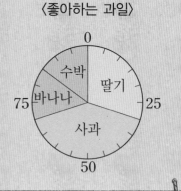

✏️ 가장 많은 학생들이 좋아하는 과일은 40 %를 차지하는 사과이므로

(사과를 좋아하는 학생 수)$= 300 \times \dfrac{40}{100} = 120$(명)입니다.

답 _____120명_____

평가 기준	가장 많은 학생들이 좋아하는 과일을 바르게 찾은 경우	2점	합 5점
	학생 수를 바르게 구한 경우	3점	

서술형 완성하기

빈칸을 채우며 서술형 풀이를 완성하고 답을 쓰시오.

1 오른쪽은 어느 수목원에 있는 나무 1200그루를 종류별로 조사하여 나타낸 원그래프입니다. 가장 많은 나무는 두 번째로 많은 나무보다 몇 그루 더 많은지 풀이 과정을 쓰고 답을 구하시오.

〈종류별 나무 수〉

✏️ 가장 많은 나무는 은행나무이고 두 번째로 많은 나무는 소나무입니다.

은행나무 : $1200 \times \dfrac{\boxed{}}{100} = \boxed{}$(그루)

소나무 : $1200 \times \dfrac{\boxed{}}{100} = \boxed{}$(그루)

따라서 은행나무는 소나무보다 $\boxed{} - \boxed{} = \boxed{}$(그루) 더 많습니다.

답 _____

1 오른쪽은 동민이의 한 달 용돈 25000원의 쓰임을 조사하여 나타낸 원그래프입니다. 용돈을 가장 많이 쓴 항목은 얼마를 사용하였는지 풀이 과정을 쓰고 답을 구하시오. (5점)

〈한 달 용돈의 쓰임〉

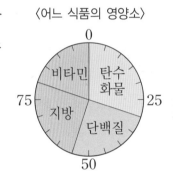

답 _____

2 오른쪽은 어느 식품 600 g 속에 들어 있는 영양소를 조사하여 나타낸 원그래프입니다. 가장 많이 들어 있는 영양소는 가장 적게 들어 있는 영양소보다 몇 g 더 많은지 풀이 과정을 쓰고 답을 구하시오. (5점)

〈어느 식품의 영양소〉

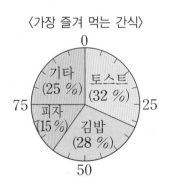

답 _____

3 오른쪽은 예슬이네 학교 학생들이 가장 즐겨 먹는 간식을 조사하여 나타낸 원그래프입니다. 김밥을 즐겨 먹는 학생이 140명일 때 조사한 학생은 모두 몇 명인지 풀이 과정을 쓰고 답을 구하시오. (5점)

〈가장 즐겨 먹는 간식〉

답 _____

영수네 학교 학생들이 제일 가 보고 싶어 하는 나라를 조사하였더니 영국 20 %, 미국 25 %, 프랑스 35 %, 기타 20 %라고 합니다. 띠그래프를 그려 보고, 이 띠그래프로 알 수 있는 사실을 한 가지 써 보시오. (5점)

〈가 보고 싶어 하는 나라〉

0 10 20 30 40 50 60 70 80 90 100(%)

영국 (20 %)	미국 (25 %)	프랑스 (35 %)	기타 (20 %)

서술 길라잡이 각 항목의 비율만큼 표시하여 띠그래프를 완성해 봅니다.

✎ 예 띠그래프로 알 수 있는 사실은 프랑스에 가 보고 싶어 하는 학생이 가장 많다는 것입니다.

평가 기준	띠그래프를 바르게 그린 경우	3점	합 5점
	띠그래프로 알 수 있는 사실을 바르게 쓴 경우	2점	

서술형 완성하기 빈칸을 채우며 서술형 풀이를 완성하시오.

1 어느 지역의 올해 곡물 생산량이 쌀 35 %, 보리 35 %, 콩 20 %, 기타 10 %라고 합니다. 원그래프를 그려 보고, 이 원그래프로 알 수 있는 사실을 한 가지 써 보시오.

✎ 원그래프로 알 수 있는 사실은 이 지역은 [　]과 [　]의 생산량이 같다는 것입니다.

〈곡물 생산량〉

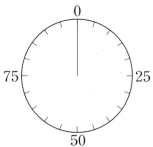

2 어느 박물관 입장객의 연령층을 조사해 봤더니 초등학생 15 %, 중학생 20 %, 고등학생 25 %, 성인 ☐ %라고 합니다. 성인의 비율을 구하여 띠그래프를 그려 보고, 이 띠그래프로 알 수 있는 사실을 한 가지 써 보시오.

〈박물관의 입장객〉

0 10 20 30 40 50 60 70 80 90 100(%)

✎ 성인의 비율은 100−([　]+[　]+[　])=[　](%)입니다.

띠그래프로 알 수 있는 사실은 이 박물관은 연령층이 (높은, 낮은) 사람들이 좋아한다는 것입니다.

1 어느 도시의 하루에 발생하는 쓰레기의 양은 음식물 35 %, 종이 20 %, 금속 25 %, 비닐 5 %, 기타 15 %라고 합니다. 띠그래프를 그려 보고, 이 띠그래프로 알 수 있는 사실을 한 가지 써 보시오. (5점)

〈쓰레기의 양〉

0　10　20　30　40　50　60　70　80　90 100(%)

2 상연이네 반 학생들의 장래 희망을 조사하였더니 의사 15 %, 연예인 20 %, 과학자 25 %, 선생님 30 %, 기타 10 %라고 합니다. 원그래프를 그려 보고, 이 원그래프로 알 수 있는 사실을 한 가지 써 보시오. (5점)

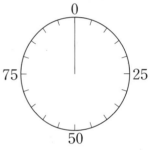

〈장래 희망〉

3 어느 놀이공원 입장객의 연령층을 조사해 봤더니 초등학생 35 %, 중학생 30 %, 고등학생 □ %, 성인 10 %라고 합니다. 고등학생의 비율을 구하여 원그래프를 그려 보고, 이 원그래프로 알 수 있는 사실을 한 가지 써 보시오. (6점)

〈놀이공원의 입장객〉

① 오른쪽은 어느 자연휴양림의 연도별 이용객 수를 조사하여 나타낸 그림그래프입니다. 이용객이 가장 많은 해는 가장 적은 해보다 이용객이 몇 명 더 많은지 풀이 과정을 쓰고 답을 구하시오. (4점)

자연휴양림 이용객 수

ⓒ 10000명   ⓒ 1000명

답 _____

② 오른쪽은 상연이네 학교 6학년 학생들이 제일 좋아하는 운동 경기를 조사하여 나타낸 띠그래프입니다. 야구를 좋아하는 학생 수는 축구를 좋아하는 학생 수의 몇 배인지 풀이 과정을 쓰고 답을 구하시오. (4점)

〈좋아하는 운동 경기〉

0 10 20 30 40 50 60 70 80 90 100(%)
야구 (34 %) / 농구 (25 %) / 축구 (17 %) / 배구 (14 %)

기타(10 %)

답 _____

③ 오른쪽은 가영이네 농장에 있는 동물을 조사하여 나타낸 띠그래프입니다. 오리가 300마리일 때 농장에 있는 동물은 모두 몇 마리인지 풀이 과정을 쓰고 답을 구하시오. (5점)

〈농장의 동물〉

닭 (30 %)	소 (35 %)	오리 (15 %)	돼지 (20 %)

답 _____

4 오른쪽은 영수네 과수원에서 생산한 과일의 양을 조사하여 나타낸 원그래프입니다. 가장 많이 생산한 과일과 가장 적게 생산한 과일을 더한 것은 전체의 몇 %인지 풀이 과정을 쓰고 답을 구하시오. (5점)

〈과일 생산량〉

답 _____

5 오른쪽은 어느 지역의 토지 이용률을 조사하여 나타낸 원그래프입니다. 이 마을의 전체 토지가 200 km²일 때, 가장 넓은 면적의 항목은 가장 좁은 면적의 항목보다 몇 km² 더 넓은지 풀이 과정을 쓰고 답을 구하시오. (5점)

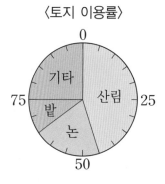

〈토지 이용률〉

답 _____

6 어느 미술관에서 관람객의 연령층을 조사해 보았더니 초등학생 10 %, 중학생 □ %, 고등학생 35 %, 성인 40 %라고 합니다. 중학생의 비율을 구하여 띠그래프를 그려 보고, 이 띠그래프로 알 수 있는 사실을 한 가지 써 보시오. (6점)

〈미술관의 관람객〉

0 10 20 30 40 50 60 70 80 90 100(%)

논리적 사고력을 키워주는
숫자 퍼즐 스도쿠

◪ 게임 방법

1. 모든 세로줄에는 1부터 9까지의 숫자가 겹치지 않게 한 번씩만 들어갑니다.

2. 모든 가로줄에는 1부터 9까지의 숫자가 겹치지 않게 한 번씩만 들어갑니다.

3. 가로, 세로 3×3으로 이루어진 굵은 테두리의 작은 사각형 안에도 1부터 9까지의 숫자가 겹치지 않게 한 번씩만 들어갑니다.

7	1		3	2				5
3		6						
			1	6		3		9
4	5				1			
			4	9			2	7
	7	8				1		
			7		2		9	3
5		1						
	3	7	5				8	1

6 직육면체의 부피와 겉넓이

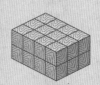

한 개의 부피가 1 cm³인 쌓기나무로 오른쪽과 같은 직육면체를 만들었을 때, 쌓기나무를 이용하여 직육면체의 부피를 구하려고 합니다. 풀이 과정을 쓰고 답을 구하시오. (4점)

서술 길라잡이 한 개의 부피가 1 cm³인 쌓기나무의 개수로 직육면체의 부피를 구합니다.

✎ 쌓기나무는 부피가 1 cm³인 정육면체이므로 쌓기나무의 개수로 직육면체의 부피를 구할 수 있습니다. 직육면체의 밑면에 놓인 쌓기나무의 개수는 $4 \times 3 = 12$(개)이고 높이는 2층이므로 쌓기나무의 개수는 모두 $4 \times 3 \times 2 = 24$(개)입니다.
따라서 직육면체의 부피는 24 cm³입니다.

답 _____24 cm³_____

평가 기준	쌓기나무의 개수를 바르게 구한 경우	2점	합 4점
	직육면체의 부피를 바르게 구한 경우	2점	

서술형 완성하기   빈칸을 채우며 서술형 풀이를 완성하고 답을 쓰시오.

1 한 개의 부피가 1 cm³인 쌓기나무로 오른쪽과 같은 직육면체를 만들었을 때, 쌓기나무를 이용하여 직육면체의 부피를 구하려고 합니다. 풀이 과정을 쓰고 답을 구하시오.

✎ 쌓기나무는 부피가 1 cm³인 정육면체이므로 쌓기나무의 개수로 직육면체의 부피를 구할 수 있습니다. 직육면체의 밑면에 놓인 쌓기나무의 개수는 $\square \times \square = \square$(개)이고 높이는 $\square$층이므로 쌓기나무의 개수는 모두 $\square \times \square \times \square = \square$(개)입니다.
따라서 직육면체의 부피는 $\square$ cm³입니다.   **답** _____

2 한 개의 부피가 1 cm³인 쌓기나무로 오른쪽과 같은 정육면체를 만들었을 때, 쌓기나무를 이용하여 정육면체의 부피를 구하려고 합니다. 풀이 과정을 쓰고 답을 구하시오.

✎ 쌓기나무는 부피가 1 cm³인 정육면체이므로 쌓기나무의 개수로 정육면체의 부피를 구할 수 있습니다. 정육면체의 밑면에 놓인 쌓기나무의 개수는 $\square \times \square = \square$(개)이고 높이는 $\square$층이므로 쌓기나무의 개수는 모두 $\square \times \square \times \square = \square$(개)입니다.
따라서 정육면체의 부피는 $\square$ cm³입니다.   **답** _____

1 쌓기나무 1개의 부피가 1 cm³일 때 입체도형 가, 나 중 어느 것의 부피가 더 큰지 구하려고 합니다. 풀이 과정을 쓰고 답을 구하시오. (4점)

답 _____

2 쌓기나무 1개의 부피가 1 cm³일 때 오른쪽 입체도형의 부피를 구하려고 합니다. 풀이 과정을 쓰고 답을 구하시오. (4점)

답 _____

3 부피가 1 cm³인 정육면체 모양의 쌓기나무로 상자를 가득 채우려면 쌓기나무는 모두 몇 개가 필요하고, 가득 채운 상자의 부피는 몇 cm³인지 풀이 과정을 쓰고 답을 구하시오. (4점)

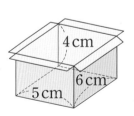

답 _____

오른쪽 직육면체의 부피는 몇 m^3인지 구하려고 합니다. 풀이 과정을 쓰고 답을 구하시오. (5점)

서술 길라잡이 (직육면체의 부피)=(가로)×(세로)×(높이)

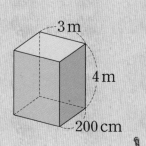

✏️ 200 cm=2 m이므로

(직육면체의 부피)=(가로)×(세로)×(높이)

　　　　　　　　=3×2×4=24(m^3)입니다.

답 _____24 m^3_____

평가 기준	단위를 m로 고쳐서 식을 바르게 세운 경우	3점	합 5점
	직육면체의 부피를 m^3 단위로 바르게 구한 경우	2점	

서술형 완성하기 빈칸을 채우며 서술형 풀이를 완성하고 답을 쓰시오.

1 오른쪽 직육면체의 부피는 몇 cm^3인지 구하려고 합니다. 풀이 과정을 쓰고 답을 구하시오.

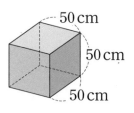

　✏️ 2 m 40 cm=240 cm, 2 m=200 cm이므로

　　(직육면체의 부피)=(가로)×(세로)×(높이)

　　　　　　　　　　=☐ ×☐ ×☐

　　　　　　　　　　=☐ (cm^3)입니다.

답 _____

2 오른쪽 정육면체의 부피는 몇 m^3인지 구하려고 합니다. 풀이 과정을 쓰고 답을 구하시오.

　✏️ 50 cm=0.5 m이고 한 밑면의 넓이가 0.5×0.5=☐ (m^2)이므로

　　(정육면체의 부피)=(한 밑면의 넓이)×(높이)

　　　　　　　　　　=☐ ×☐

　　　　　　　　　　=☐ (m^3)입니다.

답 _____

1 오른쪽 직육면체 모양의 상자의 부피는 몇 cm³입니까? 또 몇 m³인지 풀이 과정을 쓰고 답을 구하시오. (5점)

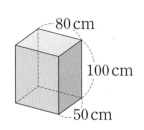

답 _____

2 오른쪽 직육면체 모양의 상자의 부피는 몇 m³입니까? 또 몇 cm³인지 풀이 과정을 쓰고 답을 구하시오. (5점)

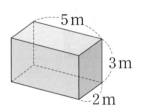

답 _____

3 모서리의 길이가 m로 주어진 것을 cm로 고쳐서 부피를 cm³ 단위로 구할 수도 있고, cm로 주어진 것을 m로 고쳐서 부피를 m³ 단위로 구할 수도 있습니다. 오른쪽 직육면체의 부피를 m³와 cm³ 단위로 각각 구하고, m³와 cm³ 사이의 관계를 설명해 보시오. (6점)

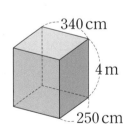

오른쪽 직육면체의 부피가 252 cm³일 때 한 밑면의 가로의 길이는 몇 cm인지 풀이 과정을 쓰고 답을 구하시오. (5점)

서술 길라잡이 직육면체의 부피를 이용하여 직육면체의 한 밑면의 가로의 길이를 구합니다.

✏️ 한 밑면의 가로의 길이를 □ cm라고 하면

(직육면체의 부피)=□×4×7=□×28=252(cm³)

□=252÷28, □=9입니다.

따라서 직육면체의 한 밑면의 가로의 길이는 9 cm입니다.

답   9 cm

평가 기준	한 밑면의 가로의 길이를□ cm라고 하여 부피 구하는 식을 바르게 세운 경우	3점	합 5점
	직육면체의 한 밑면의 가로의 길이를 바르게 구한 경우	2점	

서술형 완성하기   빈칸을 채우며 서술형 풀이를 완성하고 답을 쓰시오.

1 오른쪽 직육면체의 부피가 165 cm³일 때 한 밑면의 세로의 길이는 몇 cm인지 풀이 과정을 쓰고 답을 구하시오.

✏️ 한 밑면의 세로의 길이를 ■ cm라고 하면

(직육면체의 부피)=□×■×□=□×■=□(cm³)

■=□÷□, ■=□입니다.

따라서 직육면체의 한 밑면의 세로의 길이는 □ cm입니다.

답

2 오른쪽 직육면체의 부피가 192 cm³일 때 높이는 몇 cm인지 풀이 과정을 쓰고 답을 구하시오.

✏️ 높이를 ■ cm라고 하면

(직육면체의 부피)=□×□×■=□×■=□(cm³)

■=□÷□, ■=□입니다.

따라서 직육면체의 높이는 □ cm입니다.

답

1 직육면체와 정육면체의 부피가 서로 같을 때 직육면체의 한 밑면의 가로의 길이는 몇 cm인지 풀이 과정을 쓰고 답을 구하시오.
(5점)

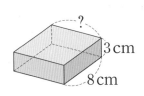 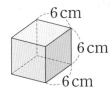

답 _____

2 직육면체와 정육면체의 부피가 서로 같을 때 직육면체의 높이는 몇 cm인지 풀이 과정을 쓰고 답을 구하시오. (5점)

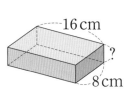 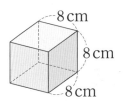

답 _____

3 직육면체와 정육면체의 부피가 서로 같을 때 직육면체의 한 밑면의 세로의 길이는 몇 cm인지 풀이 과정을 쓰고 답을 구하시오. (5점)

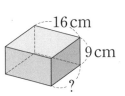 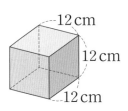

답 _____

안치수가 오른쪽과 같은 직육면체 모양의 수조에 돌을 넣었더니 돌이 물 속에 완전히 잠기면서 물의 높이가 5 cm만큼 높아졌습니다. 돌의 부피는 몇 cm³인지 풀이 과정을 쓰고 답을 구하시오. (6점)

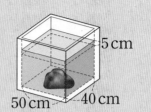

서술 길라잡이 돌의 부피는 늘어난 물의 부피와 같습니다.

✎ 수조에서 물의 높이가 5 cm 높아졌으므로

(돌의 부피)＝(늘어난 물의 부피)

＝50×40×5＝10000(cm³)입니다.

답 ____10000 cm³____

평가 기준	늘어난 물의 부피로 돌의 부피를 구하는 식을 바르게 세운 경우	4점	합 6점
	돌의 부피를 바르게 구한 경우	2점	

서술형 완성하기 빈칸을 채우며 서술형 풀이를 완성하고 답을 쓰시오.

1 안치수가 오른쪽과 같은 직육면체 모양의 수조에 돌을 넣었더니 돌이 물 속에 완전히 잠기면서 물의 높이가 8 cm만큼 높아졌습니다. 돌의 부피는 몇 cm³인지 풀이 과정을 쓰고 답을 구하시오.

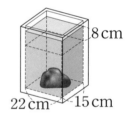

✎ 수조에서 물의 높이가 ☐ cm 높아졌으므로

(돌의 부피)＝(늘어난 물의 부피)

＝☐×☐×☐=☐(cm³)입니다.

답 _____

2 안치수가 오른쪽과 같은 직육면체 모양의 수조에 물이 10 cm 높이만큼 들어 있습니다. 이 수조에 돌을 완전히 잠기게 넣었더니 물의 높이가 14 cm가 되었습니다. 돌의 부피는 몇 cm³인지 풀이 과정을 쓰고 답을 구하시오.

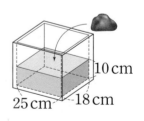

✎ 수조에서 물의 높이가 14−10=☐ (cm) 높아졌으므로

(돌의 부피)＝(늘어난 물의 부피)

＝☐×☐×☐=☐(cm³)입니다.

답 _____

1 안치수가 오른쪽과 같은 직육면체 모양의 수조에 물이 12 cm 높이만큼 들어 있습니다. 이 수조에 돌을 완전히 잠기게 넣었더니 물의 높이가 17 cm가 되었습니다. 돌의 부피는 cm³인지 풀이 과정을 쓰고 답을 구하시오. (6점)

12 cm
35 cm 22 cm

답 _____

2 안치수가 오른쪽과 같은 직육면체 모양의 통에 물이 8 cm 높이만큼 들어 있었습니다. 이 통에 벽돌을 완전히 잠기게 넣었더니 물의 높이가 12 cm가 되었습니다. 벽돌의 부피는 몇 cm³인지 풀이 과정을 쓰고 답을 구하시오. (6점)

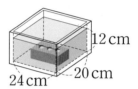

12 cm
24 cm 20 cm

답 _____

3 안치수가 오른쪽과 같은 직육면체 모양의 통에 물이 4 cm 높이만큼 들어 있었습니다. 이 통에 크기가 같은 벽돌 3개를 완전히 잠기게 넣었더니 물의 높이가 10 cm가 되었습니다. 벽돌 한 개의 부피는 몇 cm³인지 풀이 과정을 쓰고 답을 구하시오. (6점)

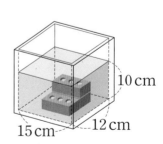

10 cm
15 cm 12 cm

답 _____

오른쪽 직육면체의 겉넓이를 3가지 방법으로 구하려고 합니다. 풀이 과
정을 쓰고 답을 구하시오. (3점)

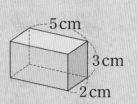

서술 길라잡이	각 면의 넓이의 합 구하기, 면 세 쌍이 합동임을 이용하기, 밑넓이와 옆넓이의 합 구하기

✏️ [방법 1] (여섯 면의 넓이의 합)=10+10+15+15+6+6=62(cm²)

[방법 2] (한 꼭짓점에서 만나는 세 면의 넓이의 합)×2=(10+15+6)×2=62(cm²)

[방법 3] (한 밑면의 넓이)×2+(옆넓이)=(5×2×2)+(5+2+5+2)×3=62(cm²)

답   62 cm²

평가기준	직육면체의 겉넓이를 3가지 방법으로 바르게 구한 경우	각 1점	합 3점

서술형 완성하기

빈칸을 채우며 서술형 풀이를 완성하고 답을 쓰시오.

1 오른쪽 직육면체의 겉넓이를 3가지 방법으로 구하려고 합니다. 풀이
과정을 쓰고 답을 구하시오.

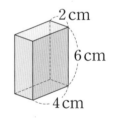

✏️ [방법 1] (여섯 면의 넓이의 합)=8+☐+12+☐+24+☐

=☐(cm²)

[방법 2] (한 꼭짓점에서 만나는 세 면의 넓이의 합)×2=(8+12+☐)×2=☐(cm²)

[방법 3] (한 밑면의 넓이)×2+(옆넓이)=(2×☐×2)+(2+☐+2+☐)×6

=☐(cm²)   답 _____

2 오른쪽 그림과 같은 정육면체 모양 상자의 겉면에 색종이를 빈틈
없이 겹치지 않게 붙였습니다. 붙인 색종이의 넓이는 몇 cm²인
지 2가지 방법으로 구하려고 합니다. 풀이 과정을 쓰고 답을 구하
시오.

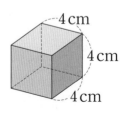

✏️ [방법 1] (여섯 면의 넓이의 합)=16+16+16+☐+☐+☐=☐(cm²)

[방법 2] (한 면의 넓이)×6=☐×6=☐(cm²)   답 _____

1 가로가 5 cm, 세로가 7 cm, 높이가 6 cm인 직육면체의 겉넓이를 3가지 방법으로 구하려고 합니다. 풀이 과정을 쓰고 답을 구하시오. (3점)

 [방법 1]

　　　[방법 2]

　　　[방법 3]

답 _____

2 밑면은 둘레가 24 cm인 정사각형이고, 높이가 4 cm인 직육면체의 겉넓이는 몇 cm²인지 풀이 과정을 쓰고 답을 구하시오. (4점)

답 _____

3 다음 전개도로 직육면체 모양의 상자를 만들었습니다. 이 상자의 겉넓이는 몇 cm²인지 풀이 과정을 쓰고 답을 구하시오. (4점)

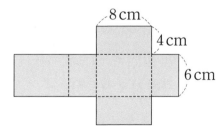

답 _____

1 쌓기나무 1개의 부피가 1 cm^3일 때 오른쪽 입체도형의 부피를 구하려고 합니다. 풀이 과정을 쓰고 답을 구하시오. (4점)

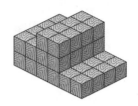

답 _____

2 웅이는 직육면체 모양의 수조를 사서 물을 채우려고 합니다. 밑면의 가로가 25 cm, 세로가 50 cm, 높이가 40 cm인 수조에 물을 가득 채우면 물의 부피는 몇 m^3인지 풀이 과정을 쓰고 답을 구하시오. (5점)

답 _____

3 한 모서리가 8 cm인 정육면체와 오른쪽 직육면체의 부피가 서로 같을 때 직육면체의 한 밑면의 세로의 길이는 몇 cm인지 풀이 과정을 쓰고 답을 구하시오. (5점)

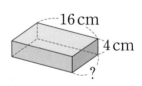

답 _____

4 안치수가 오른쪽과 같은 직육면체 모양의 통에 벽돌을 완전히 잠기게 넣었을 때 물의 높이는 10 cm입니다. 이 벽돌을 꺼냈더니 물의 높이가 7 cm로 낮아졌습니다. 벽돌의 부피는 몇 cm³인지 풀이 과정을 쓰고 답을 구하시오. (6점)

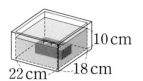

답 _____

5 ㉠과 ㉡ 중 어느 것의 겉넓이가 몇 cm² 더 넓은지 구하려고 합니다. 풀이 과정을 쓰고 답을 구하시오. (4점)

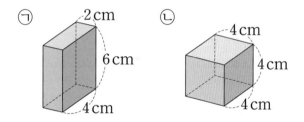

답 _____

6 다음 전개도로 직육면체 모양의 상자를 만들었습니다. 이 상자의 겉넓이는 몇 cm²인지 풀이 과정을 쓰고 답을 구하시오. (4점)

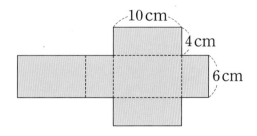

답 _____

논리적 사고력을 키워주는

숫자 퍼즐 스도쿠

▣ 게임 방법

1. 모든 세로줄에는 **1**부터 **9**까지의 숫자가 겹치지 않게 한 번씩만 들어갑니다.
2. 모든 가로줄에는 **1**부터 **9**까지의 숫자가 겹치지 않게 한 번씩만 들어갑니다.
3. 가로, 세로 **3**×**3**으로 이루어진 굵은 테두리의 작은 사각형 안에도 **1**부터 **9**까지의 숫자가 겹치지 않게 한 번씩만 들어갑니다.

	4	8					3	
2			3		5			6
	1					5	9	
	2		8		7	4	1	
1			9		2		7	3
				4		9		
		1		3				
8	5		4		9			1
	3	9	2		6		5	

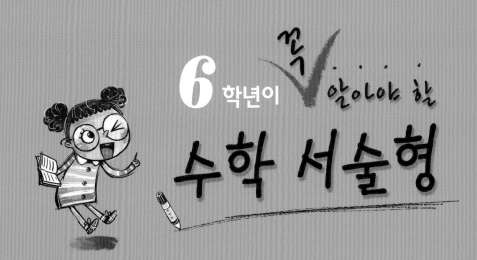

6 학년이 ^꼭✓⋯⋯ 알아야 한

수학 서술형

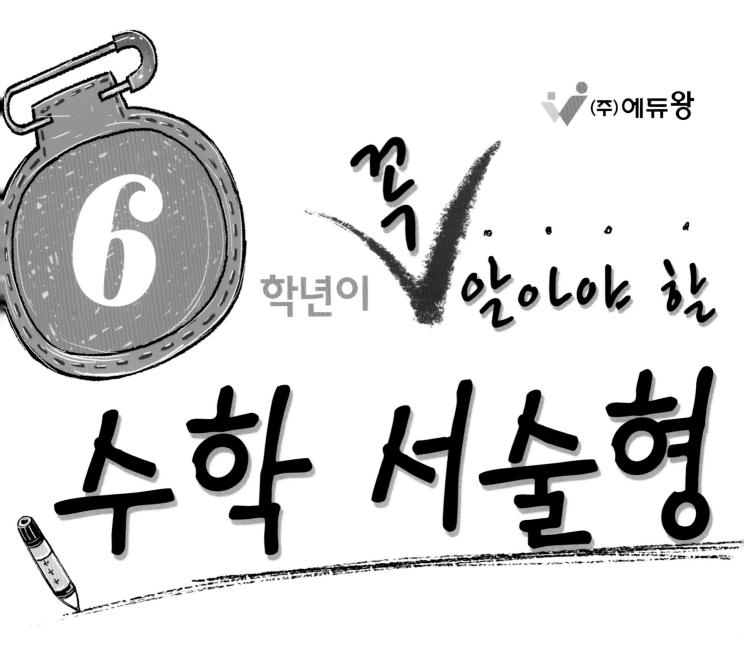

6

학년이 ✓ 알아야 한

수학 서술형

정답과 풀이

(주)에듀왕
www.eduwang.com

정답과 풀이

정답과 풀이

① 분수의 나눗셈

1. 분수의 나눗셈 (1)

서술형 완성하기   p. 4

1 1, 3, 3, 3

2 1, 3, 3, 3, 1, 3, 7

서술형 정복하기   p. 5

1

✏️ $1 \div 8$은 1을 똑같이 8로 나눈 것 중의 하나입니다.

1을 똑같이 8로 나눈 것 중의 하나를 분수로 나타내면 $\frac{1}{8}$입니다.

따라서 $1 \div 8$의 몫을 분수로 나타내면 $1 \div 8 = \frac{1}{8}$입니다.

	$1 \div 8$의 몫을 분수로 바르게 나타낸 경우	2점	
평가기준	$1 \div 8$의 몫을 분수로 나타내는 방법을 바르게 설명한 경우	2점	합 4점

2

✏️ $1 \div 9$의 몫을 분수로 나타내면 $\frac{1}{9}$입니다.

$8 \div 9$는 $\frac{1}{9}$이 8개이므로 $\frac{8}{9}$입니다.

따라서 $8 \div 9$의 몫을 분수로 나타내면 $8 \div 9 = \frac{8}{9}$입니다.

	$8 \div 9$의 몫을 분수로 바르게 나타낸 경우	2점	
평가기준	$8 \div 9$의 몫을 분수로 나타내는 방법을 바르게 설명한 경우	2점	합 4점

3

✏️ $13 \div 5 = 2 \cdots 3$이므로 먼저 2씩 나누고 나머지 3을 5로 나누면 $\frac{3}{5}$입니다.

따라서 $13 \div 5 = 2\frac{3}{5} = \frac{13}{5}$입니다.

1. 분수의 나눗셈 (2)

서술형 완성하기   p. 6

1 1, 1, 1, 4

2 2, 4 / 1, 8, 4

서술형 정복하기   p. 7

1

✏️ $\frac{7}{6} \div 4$를 분수의 곱셈으로 나타내면

$\frac{7}{6} \div 4 = \frac{7}{6} \times \frac{1}{4}$ 입니다.

따라서 $\frac{7}{6} \div 4 = \frac{7}{6} \times \frac{1}{4} = \frac{7 \times 1}{6 \times 4} = \frac{7}{24}$ 입니다.

평가기준	계산 방법을 바르게 설명한 경우	4점

2

✏️ [방법 1] 예 분자가 자연수의 배수일 때 분자를 자연수로 나눕니다.

$\frac{4}{7} \div 2 = \frac{4 \div 2}{7} = \frac{2}{7}$

[방법 2] 예 곱셈식으로 나타내어 계산한 후 약분합니다.

$\frac{4}{7} \div 2 = \frac{4}{7} \times \frac{1}{2} = \frac{4}{14} = \frac{2}{7}$

평가기준	1가지 방법으로 설명할 때마다 2점씩 배점하여 총 4점이 되도록 평가합니다.	합 4점

3

✏️ [방법 1] 예 곱셈식으로 나타내어 계산한 후 약분합니다.

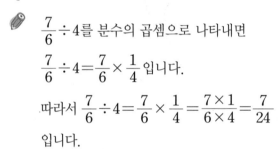

$$\frac{12}{5} \div 9 = \frac{12}{5} \times \frac{1}{9} = \frac{\overset{4}{\cancel{12}}}{\underset{15}{\cancel{45}}} = \frac{4}{15}$$

[방법 2] 예 곱셈식으로 나타낸 후 약분하여 계산합니다.

$$\frac{12}{5} \div 9 = \frac{\overset{4}{\cancel{12}}}{5} \times \frac{1}{\underset{3}{\cancel{9}}} = \frac{4}{15}$$

평가 기준	1가지 방법으로 설명할 때마다 2점씩 배점하여 총 4점이 되도록 평가합니다.	합 4점

3

🖊 대분수를 가분수로 고친 후 곱셈식으로 나타내어 계산해야 하는데 대분수를 가분수로 고치지 않고 계산했습니다.

$$\Rightarrow 4\frac{2}{9} \div 2 = \frac{38}{9} \div 2 = \frac{\overset{19}{\cancel{38}}}{9} \times \frac{1}{\underset{1}{\cancel{2}}}$$
$$= \frac{19}{9} = 2\frac{1}{9}$$

평가 기준	계산이 틀린 이유를 바르게 설명한 경우	2점	합 4점
	계산을 바르게 고친 경우	2점	

1. 분수의 나눗셈 (3)

서술형 완성하기   p. 8

1 $\frac{1}{5}$, ×, $\frac{1}{5}$, $\frac{7}{20}$

2 $\frac{1}{3}$, ×, $\frac{1}{3}$, $\frac{5}{9}$

서술형 정복하기   p. 9

1

🖊 $\frac{7}{15} \div 14 = \frac{7}{15} \times 14$에서 $\div 14$는 $\times \frac{1}{14}$로 고쳐서 계산해야 하는데 $\div$를 $\times$로만 고쳐서 계산했습니다.

$$\Rightarrow \frac{7}{15} \div 14 = \frac{7}{15} \times \frac{1}{14} = \frac{7}{210} = \frac{1}{30}$$

평가 기준	계산이 틀린 이유를 바르게 설명한 경우	2점	합 4점
	계산을 바르게 고친 경우	2점	

2

🖊 $\frac{6}{5} \div 12 = \frac{6}{5} \times 12$에서 $\div 12$는 $\times \frac{1}{12}$로 고쳐서 계산해야 하는데 $\div$를 $\times$로만 고쳐서 계산했습니다.

$$\Rightarrow \frac{6}{5} \div 12 = \frac{6}{5} \times \frac{1}{12} = \frac{6}{60} = \frac{1}{10}$$

평가 기준	계산이 틀린 이유를 바르게 설명한 경우	2점	합 4점
	계산을 바르게 고친 경우	2점	

1. 분수의 나눗셈 (4)

서술형 완성하기   p. 10

1 6, $\frac{2}{5}$, $\frac{2}{5}$ 답 $\frac{2}{5}$ L

2 27, 1, 27, 9, 4, 1, 4, 1   답 $4\frac{1}{2}$ km

서술형 정복하기   p. 11

1

🖊 전체 끈의 길이를 사람 수로 나눕니다.
따라서 $5 \div 8 = \frac{5}{8}$(m)이므로 한 사람이 갖게

되는 끈의 길이는 $\frac{5}{8}$ m입니다.

답 $\frac{5}{8}$ m

평가 기준	문제에 알맞은 식을 바르게 세운 경우	2점	합 4점
	답을 바르게 구한 경우	2점	

2

🖊 전체 철사의 길이를 도막 수로 나눕니다.

$$6\frac{2}{5} \div 8 = \frac{32}{5} \div 8 = \frac{32 \div 8}{5} = \frac{4}{5}\text{(m)}$$

이므로 한 도막의 길이는 $\frac{4}{5}$ m입니다.

답 $\frac{4}{5}$ m

평가 기준	문제에 알맞은 식을 바르게 세운 경우	2점	합 4점
	답을 바르게 구한 경우	2점	

정답과 풀이

3

🖉 전체 페인트의 양을 통 수로 나눕니다.

전체 페인트의 양은 $\frac{3}{8}+\frac{4}{5}=\frac{15}{40}+\frac{32}{40}$

$=\frac{47}{40}=1\frac{7}{40}$ (L)입니다.

따라서 $1\frac{7}{40}\div 2=\frac{47}{40}\times\frac{1}{2}=\frac{47}{80}$ (L)이므

로 통 한 개에 담긴 페인트는 $\frac{47}{80}$ L입니다.

답 $\frac{47}{80}$ L

평가기준	전체 페인트의 양을 바르게 구한 경우	1점	합 5점
	문제에 알맞은 식을 바르게 세운 경우	2점	
	답을 바르게 구한 경우	2점	

실전! 서술형
p. 12 ~ 13

1

🖉 $1\div 15$의 몫을 분수로 나타내면 $\frac{1}{15}$입니다.

$7\div 15$는 $\frac{1}{15}$이 7개이므로 $\frac{7}{15}$입니다.

따라서 $7\div 15$의 몫을 분수로 나타내면

$7\div 15=\frac{7}{15}$입니다.

평가기준	$7\div 15$의 몫을 분수로 바르게 나타낸 경우	2점	합 4점
	$7\div 15$의 몫을 분수로 나타내는 방법을 바르게 설명한 경우	2점	

2

🖉 $\frac{7}{8}\div 3$을 분수의 곱셈으로 나타내면

$\frac{7}{8}\div 3=\frac{7}{8}\times\frac{1}{3}$입니다.

따라서 $\frac{7}{8}\div 3=\frac{7}{8}\times\frac{1}{3}=\frac{7\times 1}{8\times 3}=\frac{7}{24}$

입니다.

평가기준	계산 방법을 바르게 설명한 경우	4점

3

🖉 [방법 1] ⑳ 분자가 자연수의 배수일 때 분자를 자연수로 나눕니다.

$\frac{16}{9}\div 4=\frac{16\div 4}{9}=\frac{4}{9}$

[방법 2] ⑳ 곱셈식으로 나타내어 계산한 후 약분합니다.

$\frac{16}{9}\div 4=\frac{16}{9}\times\frac{1}{4}=\frac{16}{36}=\frac{4}{9}$

평가기준	1가지 방법으로 설명할 때마다 2점씩 배점하여 총 4점이 되도록 평가합니다.	합 4점

4

🖉 $2\frac{1}{7}\div 5=\frac{15}{7}\times 5$에서 $\div 5$는 $\times\frac{1}{5}$로 고쳐서 계산해야 하는데 $\div$를 $\times$로만 고쳐서 계산했습니다.

➡ $2\frac{1}{7}\div 5=\frac{15}{7}\times\frac{1}{5}=\frac{15}{35}=\frac{3}{7}$

평가기준	계산이 틀린 이유를 바르게 설명한 경우	2점	합 4점
	계산을 바르게 고친 경우	2점	

5

🖉 처음 막대의 길이를 도막 수로 나눕니다.

따라서 $1\frac{3}{5}\div 4=\frac{8\div 4}{5}=\frac{2}{5}$ (m)이므로

정사각형의 한 변의 길이는 $\frac{2}{5}$ m입니다.

답 $\frac{2}{5}$ m

평가기준	문제에 알맞은 식을 바르게 세운 경우	2점	합 4점
	답을 바르게 구한 경우	2점	

6

🖉 (통 한 개에 담긴 쌀의 무게)
=(쌀의 무게)÷(통의 수)이므로

$5\frac{3}{5}\div 4=\frac{28\div 4}{5}=\frac{7}{5}=1\frac{2}{5}$ (kg)입니다.

따라서 쌀을 담은 통 한 개의 무게는

$1\frac{2}{5}+\frac{1}{2}=1\frac{4}{10}+\frac{5}{10}=1\frac{9}{10}$ (kg)입니다.

답 $1\frac{9}{10}$ kg

평가 기준	통 한 개에 담긴 쌀의 무게를 구한 경우	3점	합 5점
	쌀을 담은 통 한 개의 무게를 구한 경우	2점	

쉬어가기 14쪽

② 각기둥과 각뿔

2. 각기둥과 각뿔 (1)

서술형 완성하기 p. 16

1 아닙니다, 평행, 합동

2 가영, 평행

서술형 정복하기 p. 17

1

🖉 각뿔은 다, 마입니다.
밑면이 다각형이고 옆면이 모두 삼각형인 입체도형을 찾아야 하기 때문입니다.

평가 기준	각뿔을 바르게 찾은 경우	2점	합
	이유를 바르게 설명한 경우	2점	4점

2

🖉 주어진 입체도형은 각뿔이 아닙니다.
밑면이 다각형이 아니고 옆면이 삼각형이 아니기 때문입니다.

평가 기준	주어진 입체도형이 각뿔이 아니라고 바르게 쓴 경우	2점	합 4점
	이유를 바르게 설명한 경우	2점	

3

🖉 [같은 점] 주어진 입체도형은 모두 각뿔입니다.
[다른 점] 왼쪽 각뿔의 밑면은 오각형이고, 오른쪽 각뿔의 밑면은 육각형입니다.

평가 기준	두 입체도형의 같은 점을 바르게 쓴 경우	2점	합 4점
	두 입체도형의 다른 점을 바르게 쓴 경우	2점	

정답과 풀이

2. 각기둥과 각뿔 (2)

서술형 완성하기   p. 18

1 사각형, 사각기둥 / 오각형, 오각기둥 / 모양

2 3, 15, 5, 5, 오각기둥

서술형 정복하기   p. 19

1

✎ ㉠ □각기둥의 옆면의 수는 □개이므로 옆면의 수가 5개인 각기둥은 오각기둥입니다.
㉡ 모서리의 수가 18개인 각기둥은
□×3=18, □=6이므로
육각기둥입니다.
㉢ 꼭짓점의 수가 10개인 각기둥은
□×2=10, □=5이므로 오각기둥입니다.
따라서 이름이 다른 각기둥은 ㉡입니다.

답 ㉡

평가 기준	각기둥의 이름을 모두 바르게 쓴 경우	3점	합 4점
	이름이 다른 각기둥을 찾은 경우	1점	

2

✎ 각기둥 2개를 옆면끼리 맞닿게 붙여서 만든 각기둥의 밑면의 모양은 사각형입니다.
따라서 만든 각기둥의 이름은 사각기둥입니다.

답 사각기둥

평가 기준	만든 각기둥의 밑면의 모양을 바르게 쓴 경우	2점	합 4점
	만든 각기둥의 이름을 바르게 쓴 경우	2점	

3

✎ □각기둥의 (면의 수)=□+2,
(모서리의 수)=□×3,
(꼭짓점의 수)=□×2이므로
식으로 나타내면
(□+2)+(□×3)+(□×2)=50입니다.
□×6+2=50, □×6=48, □=8이므로
조건을 만족하는 각기둥은 팔각기둥입니다.

답 팔각기둥

평가 기준	각기둥의 면의 수, 모서리의 수, 꼭짓점의 수는 밑면의 변의 수와 관계가 있음을 알고 있는 경우	4점	합 6점
	각기둥의 이름을 바르게 쓴 경우	2점	

2. 각기둥과 각뿔 (3)

서술형 완성하기   p. 20

1 오각뿔, 오각뿔, 3, 15   답 15 cm

2 1, 16, 15, 15, 십오각뿔

서술형 정복하기   p. 21

1

✎ ㉠ □각뿔의 면의 수는 (□+1)개이므로 면의 수가 9개인 각뿔은 팔각뿔입니다.
㉡ 모서리의 수가 16개인 각뿔은
□×2=16, □=8이므로 팔각뿔입니다.
㉢ 꼭짓점의 수가 10개인 각뿔은
□+1=10, □=9이므로 구각뿔입니다.
따라서 이름이 다른 각뿔은 ㉢입니다.

답 ㉢

평가 기준	각뿔의 이름을 모두 바르게 쓴 경우	3점	합 4점
	이름이 다른 각뿔을 찾은 경우	1점	

2

✎ 삼각형인 옆면이 6개인 각뿔은 육각뿔입니다.
(육각뿔의 모든 모서리의 길이의 합)
=8×6+12×6=48+72=120(cm)
따라서 육각뿔의 모든 모서리의 길이의 합은 120 cm입니다.

답 120 cm

평가 기준	각뿔의 이름을 바르게 쓴 경우	2점	합 6점
	각뿔의 모든 모서리의 길이의 합을 바르게 구한 경우	4점	

3

✏️ □각뿔의 (면의 수)=□+1,
(모서리의 수)=□×2,
(꼭짓점의 수)=□+1이므로
식으로 나타내면
(□+1)+(□×2)+(□+1)=46입니다.
□×4+2=46, □×4=44, □=11이므로
조건을 만족하는 각뿔은 십일각뿔입니다.

답 십일각뿔

평가기준	각뿔의 면의 수, 모서리의 수, 꼭짓점의 수는 밑면의 변의 수와 관계가 있음을 알고 있는 경우	4점	합 6점
	각뿔의 이름을 바르게 쓴 경우	2점	

2. 각기둥과 각뿔 (4)

서술형 완성하기   p. 22

1 2, 5, 5, 2, 5, 90   답 90 cm

2 2, 2, 15, 십오, 15, 16, 15, 16, 16, 16, 32
   답 32개

서술형 정복하기   p. 23

1

✏️ 각기둥의 한 밑면의 변의 수를 □라 하면 모서리의 수는 □×3, 꼭짓점의 수는 □×2입니다.
따라서 □×3+□×2=30에서 □=6이므로 육각기둥입니다.

답 육각기둥

평가기준	모서리의 수, 꼭짓점의 수가 한 밑면의 변의 수와 어떤 관계인지 설명한 경우	3점	합 4점
	각기둥의 이름을 바르게 쓴 경우	1점	

2

✏️ 모서리의 수가 24개인 각기둥의 한 밑면의 변의 수는 24÷3=8(개)이므로 각뿔은 팔각뿔입니다.
따라서 팔각뿔의 면의 수는 8+1=9(개)입니다.

답 9개

평가기준	각기둥의 한 밑면의 변의 수를 구한 경우	3점	합 6점
	팔각뿔을 알아내어 면의 수를 구한 경우	3점	

3

✏️ □각기둥의 꼭짓점의 수는 □×2, □각뿔의 꼭짓점의 수는 □+1이므로
□×2=(□+1)+4에서 □=5입니다.
따라서 오각기둥과 오각뿔입니다.

답 오각기둥, 오각뿔

평가기준	각기둥과 각뿔의 꼭짓점의 수는 밑면의 변의 수와 어떤 관계인지 아는 경우	3점	합 6점
	꼭짓점의 수의 차가 4인 각기둥과 각뿔의 이름을 바르게 쓴 경우	3점	

2. 각기둥과 각뿔 (5)

서술형 완성하기   p. 24

1 육각기둥

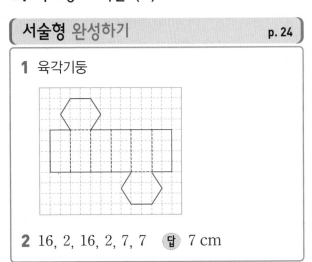

2 16, 2, 16, 2, 7, 7   답 7 cm

정답과 풀이

서술형 정복하기　　　　　　p. 25

1

 동민이는 전개도를 정확하게 그리지 못했습니다.

전개도를 접었을 때 만나는 선분끼리 길이를 같게 그려야 하는데 위쪽에 있는 밑면은 만나는 선분과 길이가 같지 않기 때문입니다.

평가기준	전개도를 정확하게 그리지 못했음을 쓴 경우	2점	합 5점
	이유를 바르게 설명한 경우	3점	

2

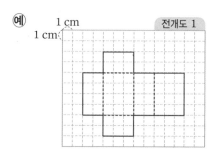

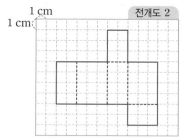

평가기준	사각기둥의 전개도를 2가지 방법으로 바르게 그린 경우	각 3점	합 6점

3

각기둥의 밑면인 정육각형의 한 변을 □cm라 하면 전개도의 둘레는 길이가 □cm인 선분 20개, 10 cm인 선분 2개로 이루어져 있습니다.

(전개도의 둘레)=□×20+10×2=120,
□=5

따라서 각기둥의 밑면의 한 변은 5 cm입니다.

답 5 cm

평가기준	정육각형의 한 변을 □cm라 하여 식을 바르게 세운 경우	4점	합 6점
	답을 바르게 구한 경우	2점	

실전! 서술형　　　　　　p. 26 ~ 27

1

[같은 점] 주어진 입체도형은 모두 각기둥입니다.

[다른 점] 왼쪽 각기둥의 밑면은 삼각형이고, 오른쪽 각기둥의 밑면은 오각형입니다.

평가기준	두 입체도형의 같은 점을 바르게 쓴 경우	2점	합 4점
	두 입체도형의 다른 점을 바르게 쓴 경우	2점	

2

각기둥에서 면과 꼭짓점의 개수의 합은 모서리의 개수보다 2개 더 많습니다.

식으로 써 보면

(면의 수)+(꼭짓점의 수)−(모서리의 수)=2

입니다.

평가기준	각기둥에서 면, 꼭짓점, 모서리의 개수 사이의 관계를 바르게 설명한 경우	3점	합 6점
	면, 꼭짓점, 모서리의 개수 사이의 관계를 식으로 바르게 쓴 경우	3점	

3

옆면의 수가 12개이면 밑면의 변의 수가 12개이므로 각뿔의 밑면의 모양은 십이각형입니다.

따라서 밑면의 모양이 십이각형인 각뿔은 십이각뿔입니다.

답 십이각뿔

평가기준	옆면의 개수로 밑면의 모양을 바르게 설명한 경우	3점	합 6점
	밑면의 모양으로 각뿔의 이름을 바르게 설명한 경우	3점	

4

옆면의 수가 6개인 각뿔은 육각뿔입니다.

밑면은 정육각형이고 둘레는

4×6=24(cm), 옆면의 모든 모서리의 길이의 합은 8×6=48(cm)이므로

이 각뿔의 모든 모서리의 길이의 합은
24＋48＝72(cm)입니다.

답 72 cm

평가 기준	각뿔의 이름을 바르게 쓴 경우	2점	합 6점
	각뿔의 모든 모서리의 길이의 합을 바르게 구한 경우	4점	

5

각뿔에서 모서리의 수는 밑면의 변의 수의 2
배이고, 꼭짓점의 수는 밑면의 변의 수보다 1
개 더 많습니다.
따라서 밑면의 변의 수를 □라 하면
□×2＋□＋1＝37, □×3＝36,
□＝12이므로 십이각뿔입니다.

답 십이각뿔

평가 기준	각뿔에서 모서리의 수, 꼭짓점의 수 는 밑면의 변의 수와 어떤 관계인지 아는 경우	3점	합 6점
	각뿔의 이름을 바르게 쓴 경우	3점	

6

전개도의 둘레는 선분 ㄱㄴ의 길이가 6개, 선
분 ㅇㅅ의 길이가 4개인 것과 같습니다.
{(선분 ㄱㄴ)×6}＋(9×4)＝78,
(선분 ㄱㄴ)×6＋36＝78,
(선분 ㄱㄴ)×6＝42, (선분 ㄱㄴ)＝7 cm
따라서 선분 ㄱㄴ의 길이는 7 cm입니다.

답 7 cm

평가 기준	선분 ㄱㄴ의 길이를 구하는 식을 바 르게 세운 경우	4점	합 6점
	선분 ㄱㄴ의 길이를 바르게 구한 경 우	2점	

쉬어가기

28쪽

3	8	9	4	5	2	7	6	1
5	2	1	7	6	9	3	4	8
6	7	4	1	3	8	5	2	9
2	4	6	3	8	7	9	1	5
9	3	8	5	2	1	6	7	4
1	5	7	9	4	6	8	3	2
7	9	3	8	1	4	2	5	6
8	1	2	6	7	5	4	9	3
4	6	5	2	9	3	1	8	7

정답과 풀이

③ 소수의 나눗셈

3. 소수의 나눗셈 (1)

서술형 완성하기   p. 30

1   21.5 / 21.5
$$
\begin{array}{r}
21.5 \\
3\,\overline{)\,6\,4.5} \\
\underline{6} \\
4 \\
\underline{3} \\
15 \\
\underline{15} \\
0
\end{array}
$$

2   0.56 / 0, 0.56
$$
\begin{array}{r}
0.56 \\
7\,\overline{)\,3.9\,2} \\
\underline{3\,5} \\
4\,2 \\
\underline{4\,2} \\
0
\end{array}
$$

서술형 정복하기   p. 31

1

몫의 소수점은 나누어지는 수
의 소수점의 자리에 맞추어 찍
어야 합니다.
따라서 몫은 9.56이 됩니다.

$$
\begin{array}{r}
9.56 \\
8\,\overline{)\,7\,6.4\,8} \\
\underline{7\,2} \\
4\,4 \\
\underline{4\,0} \\
4\,8 \\
\underline{4\,8} \\
0
\end{array}
$$

평가기준	계산이 틀린 이유를 바르게 설명한 경우	2점	합 4점
	틀린 계산을 바르게 고친 경우	2점	

2

나누어지는 수가 나누는 수보다 작
을 때에는 몫의 일의 자리에 0을 쓰
고 소수점을 찍은 다음 자연수의 나
눗셈과 같은 방법으로 계산합니다.
따라서 몫은 0.4가 됩니다.

$$
\begin{array}{r}
0.4 \\
6\,\overline{)\,2.4} \\
\underline{2\,4} \\
0
\end{array}
$$

평가기준	계산이 틀린 이유를 바르게 설명한 경우	2점	합 4점
	틀린 계산을 바르게 고친 경우	2점	

3

나누어지는 수가 나누는 수보다
작을 때에는 몫의 일의 자리에
0을 쓰고 소수점을 찍은 다음
자연수의 나눗셈과 같은 방법으
로 계산합니다. 따라서 몫은
0.7이 됩니다.

$$
\begin{array}{r}
0.7 \\
26\,\overline{)\,1\,8.2} \\
\underline{1\,8\,2} \\
0
\end{array}
$$

평가기준	계산이 틀린 이유를 바르게 설명한 경우	2점	합 4점
	틀린 계산을 바르게 고친 경우	2점	

3. 소수의 나눗셈 (2)

서술형 완성하기   p. 32

1 [방법 1] 7245, 7245, 207, 2.07

    [방법 2] 207, 2.07

2 [방법 1] 9060, 9060, 755, 7.55

    [방법 2] 755, 7.55

서술형 정복하기   p. 33

1

[방법 1] 소수를 분수로 고쳐서 계산합니다.
$$
10.2 \div 6 = \frac{102}{10} \div 6 = \frac{102 \div 6}{10}
$$
$$
= \frac{17}{10} = 1.7
$$

[방법 2] 자연수의 나눗셈과 비교하여 계산합
니다.
$$
102 \div 6 = 17 \;\Rightarrow\; 10.2 \div 6 = 1.7
$$

평가기준	1가지 방법을 설명할 때마다 2점씩 배점하여 총 4점이 되도록 평가합니다.	합 4점

2

[방법 1] 소수를 분수로 고쳐서 계산합니다.
$$
2.35 \div 5 = \frac{235}{100} \div 5 = \frac{235 \div 5}{100}
$$
$$
= \frac{47}{100} = 0.47
$$

[방법 2] 자연수의 나눗셈과 비교하여 계산합
니다.
$$
235 \div 5 = 47 \;\Rightarrow\; 2.35 \div 5 = 0.47
$$

평가기준	1가지 방법을 설명할 때마다 2점씩 배점하여 총 4점이 되도록 평가합니다.	합 4점

3

✏️ [방법 1] 소수를 분수로 고쳐서 계산합니다.

$$25.8 \div 12 = \frac{258}{10} \div 12$$
$$= \frac{2580}{100} \div 12$$
$$= \frac{2580 \div 12}{100}$$
$$= \frac{215}{100} = 2.15$$

[방법 2] 자연수의 나눗셈과 비교하여 계산합니다.

$$2580 \div 12 = 215$$
$$\Rightarrow 25.8 \div 12 = 2.15$$

평가기준	1가지 방법을 설명할 때마다 2점씩 배점하여 총 4점이 되도록 평가합니다.	합 4점

3. 소수의 나눗셈 (3)

서술형 완성하기　　　　　p. 34

1 22.16, 5.54, 5.54　답 5.54 cm

2 57, 5, 11.4, 11.4　답 11.4 km

서술형 정복하기　　　　　p. 35

1

✏️ 일주일은 7일이므로
(하루에 마신 주스의 양)
$= 7.42 \div 7 = 1.06$(L)입니다.
따라서 하루에 마신 주스의 양은 1.06 L입니다.

답 1.06 L

평가기준	문제에 알맞은 식을 바르게 세운 경우	2점	합 4점
	답을 바르게 구한 경우	2점	

2

✏️ 연필의 무게는 모두 같고 연필 한 타는 12자루이므로
(연필 한 자루의 무게)
$= 75 \div 12 = 6.25$(g)입니다.
따라서 연필 한 자루의 무게는 6.25 g입니다.

답 6.25 g

평가기준	문제에 알맞은 식을 바르게 세운 경우	2점	합 4점
	답을 바르게 구한 경우	2점	

3

✏️ (색 테이프 5장의 길이의 합)
$= 2.3 \times 5 = 11.5$(m)이고
(종이테이프 5장의 길이의 합)
$= 20.6 - 11.5 = 9.1$(m)이므로
(종이테이프 한 장의 길이)
$= 9.1 \div 5 = 1.82$(m)입니다.
따라서 종이테이프 한 장의 길이는 1.82 m입니다.

답 1.82 m

평가기준	색 테이프 5장의 길이의 합을 구한 경우	2점	합 5점
	종이테이프 5장의 길이의 합을 구한 경우	1점	
	답을 바르게 구한 경우	2점	

3. 소수의 나눗셈 (4)

서술형 완성하기　　　　　p. 36

1 27.04, 6.76, 6.76　답 6.76 cm²

2 8.3, 4, 16.6, 16.6　답 16.6 cm²

서술형 정복하기　　　　　p. 37

1

✏️ (색칠한 부분의 넓이) = (직사각형의 넓이) $\div 9$이므로 $6.48 \div 9 = 0.72$(m²)입니다.
따라서 색칠한 부분의 넓이는 0.72 m²입니다.

답 0.72 m²

평가기준	문제에 알맞은 식을 바르게 세운 경우	2점	합 4점
	답을 바르게 구한 경우	2점	

2

✏️ (사다리꼴의 넓이)
＝{(윗변)＋(아랫변)}×(높이)÷2이므로
(5.2＋8.6)×4÷2＝13.8×4÷2
＝55.2÷2＝27.6(cm²)입니다.
따라서 사다리꼴의 넓이는 27.6 cm²입니다.

답 27.6 cm²

평가기준	문제에 알맞은 식을 바르게 세운 경우	2점	합 4점
	답을 바르게 구한 경우	2점	

3

✏️ (직사각형의 넓이)＝14×9＝126(cm²)
이므로
(삼각형의 넓이)＝153.18－126
＝27.18(cm²)입니다.
□×9÷2＝27.18이므로
□＝27.18×2÷9＝54.36÷9＝6.04
입니다.
따라서 □ 안에 알맞은 수는 6.04입니다.

답 6.04

평가기준	직사각형의 넓이를 구한 경우	1점	합 5점
	삼각형의 넓이를 구한 경우	1점	
	□를 구하는 식을 바르게 세운 경우	2점	
	답을 바르게 구한 경우	1점	

3. 소수의 나눗셈 (5)

서술형 완성하기　　　　　p. 38

1 58.8, 58.8, 4.2, 4.2, 4.2, 0.3　**답** 0.3

2 310, 310, 5, 5, 5, 12.4　**답** 12.4

서술형 정복하기　　　　　p. 39

1

✏️ 어떤 수를 ■라고 하면 ■×16＝524.8,
■＝524.8÷16＝32.8이므로
어떤 수는 32.8입니다.

따라서 바르게 계산한 값은
32.8÷16＝2.05입니다.

답 2.05

평가기준	어떤 수를 바르게 구한 경우	3점	합 6점
	바르게 계산한 값을 구한 경우	3점	

2

✏️ 어떤 수를 ■라고 하면 ■×21＝856.8,
■＝856.8÷21＝40.8이므로
어떤 수는 40.8입니다.
따라서 바르게 계산한 값은
40.8÷12＝3.4입니다.

답 3.4

평가기준	어떤 수를 바르게 구한 경우	3점	합 6점
	바르게 계산한 값을 구한 경우	3점	

3

✏️ 어떤 수를 ■라고 하면 ■÷32＝3.45,
■＝3.45×32＝110.4이므로
어떤 수는 110.4입니다.
따라서 바르게 계산한 값은
110.4÷23＝4.8입니다.

답 4.8

평가기준	어떤 수를 바르게 구한 경우	3점	합 6점
	바르게 계산한 값을 구한 경우	3점	

3. 소수의 나눗셈 (6)

서술형 완성하기　　　　　p. 40

1 13.5 / 68, 68, 13, 3, 13, 13.5

2 12.15 / 73, 73, 12, 1, 12, 12.15

서술형 정복하기　　　　　p. 41

1

✏️ 24.3을 반올림하여 자연수로 나타내면 24입니다.

24를 15로 나누면 몫은 1이고 나머지는 9이므로 24.3÷15의 몫은 1보다 큰 수입니다.
따라서 24.3÷15=1.62입니다.

답 1.62

평가 기준	알맞은 위치에 소수점을 찍은 경우	3점	합 6점
	그 이유를 바르게 설명한 경우	3점	

2

462.5를 반올림하여 자연수로 나타내면 463입니다.
463을 25로 나누면 몫은 18이고 나머지는 13이므로 462.5÷25의 몫은 18보다 큰 수입니다.
따라서 462.5÷25=18.5입니다.

답 18.5

평가 기준	알맞은 위치에 소수점을 찍은 경우	3점	합 6점
	그 이유를 바르게 설명한 경우	3점	

3

171.5를 반올림하여 자연수로 나타내면 172입니다.
172를 14로 나누면 몫은 12이고 나머지는 4이므로 171.5÷14의 몫은 12보다 큰 수입니다.
따라서 171.5÷14=12.25입니다.

답 12.25

평가 기준	알맞은 위치에 소수점을 찍은 경우	3점	합 6점
	그 이유를 바르게 설명한 경우	3점	

실전! 서술형 p. 42~43

1

9는 13으로 나누어떨어지지 않으므로 몫의 소수 첫째 자리에 0을 써야 합니다.
따라서 몫은 2.07이 됩니다.

$$\begin{array}{r} 2.07 \\ 13\overline{)26.91} \\ \underline{26} \\ 91 \\ \underline{91} \\ 0 \end{array}$$

평가 기준	계산이 틀린 이유를 바르게 설명한 경우	2점	합 4점
	틀린 계산을 바르게 고친 경우	2점	

2

[방법 1] 소수를 분수로 고쳐서 계산합니다.
$$56.7÷14=\frac{5670}{100}÷14$$
$$=\frac{5670÷14}{100}$$
$$=\frac{405}{100}=4.05$$

[방법 2] 자연수의 나눗셈과 비교하여 계산합니다.
$$5670÷14=405$$
$$\Rightarrow 56.7÷14=4.05$$

평가 기준	1가지 방법을 설명할 때마다 2점씩 배점하여 총 4점이 되도록 평가합니다.	합 4점

3

전체 철사의 길이를 자른 철사의 길이로 나눕니다.
118.75÷5=23.75이므로 5 m씩 잘린 철사는 23도막입니다.
따라서 철사를 판 돈은 350×23=8050(원)입니다.

답 8050원

평가 기준	나눗셈식을 세워 바르게 계산한 경우	2점	합 5점
	팔 수 있는 도막 수를 바르게 구한 경우	1점	
	답을 바르게 구한 경우	2점	

4

윗변을 □ cm라 하면
(사다리꼴의 넓이)=(□+13)×8÷2
=133.12입니다.
(□+13)×8=266.24,
□+13=266.24÷8=33.28,
□=33.28-13=20.28입니다.
따라서 윗변은 20.28 cm입니다.

평가 기준	문제에 알맞은 식을 바르게 세운 경우	2점	합 4점
	답을 바르게 구한 경우	2점	

5

✏️ 어떤 수를 ■라고 하면 ■×13=679.38,
■=679.38÷13=52.26이므로
어떤 수는 52.26입니다.
따라서 바르게 계산한 값은
52.26÷13=4.02입니다.

답 4.02

평가 기준	어떤 수를 바르게 구한 경우	3점	합 6점
	바르게 계산한 값을 구한 경우	3점	

6

✏️ 47.28을 반올림하여 자연수로 나타내면 47
입니다.
47을 24로 나누면 몫은 1이고 나머지는 23
이므로 47.28÷24의 몫은 1보다 큰 수입니
다.
따라서 47.28÷24=1.97입니다.

답 1.97

평가 기준	알맞은 위치에 소수점을 찍은 경우	3점	합 6점
	그 이유를 바르게 설명한 경우	3점	

쉬어가기
44쪽

4	2	5	6	3	1	8	9	7
7	6	1	9	8	4	3	5	2
8	9	3	7	5	2	6	1	4
6	1	7	5	2	3	4	8	9
3	4	2	8	9	7	5	6	1
9	5	8	1	4	6	2	7	3
5	8	4	2	1	9	7	3	6
2	7	9	3	6	8	1	4	5
1	3	6	4	7	5	9	2	8

4 비와 비율

4. 비와 비율 (1)

서술형 완성하기
p. 46

1 7, 7, 70, 70 답 70 %

2 8, 8, 8, 5, 40, 40 답 40 %

서술형 정복하기
p. 47

1

✏️ 전체 사과 수에 대한 썩은 사과 수의 비율을
백분율로 나타내면 $\frac{3}{25} = \frac{3 \times 4}{25 \times 4} = \frac{12}{100}$
이므로 12 %입니다.

답 12 %

평가 기준	비율을 분수로 바르게 나타낸 경우	1점	합 4점
	기준량이 100인 분수로 바르게 나 타낸 경우	2점	
	백분율로 바르게 나타낸 경우	1점	

2

✏️ 전체는 20칸이고 색칠한 부분은 9칸이므로
전체에 대한 색칠한 부분의 비율을 백분율로
나타내면 $\frac{9}{20} = \frac{9 \times 5}{20 \times 5} = \frac{45}{100}$ 이므로
45 %입니다.

답 45 %

평가 기준	전체와 색칠한 칸 수를 바르게 구한 경우	1점	합 5점
	비율을 분수로 바르게 나타낸 경우	1점	
	기준량이 100인 분수로 바르게 나 타낸 경우	2점	
	백분율로 바르게 나타낸 경우	1점	

3

✏️ 전체 꽃의 수는 21+12+10+7=50(송이)
이고 장미는 21송이이므로 전체 꽃에 대한
장미의 비율을 백분율로 나타내면

$$\frac{21}{50} = \frac{21 \times 2}{50 \times 2} = \frac{42}{100}$$ 이므로 42 %입니다.

답 42 %

평가기준	전체 꽃의 수를 바르게 구한 경우	1점	합 5점
	비율을 분수로 바르게 나타낸 경우	1점	
	기준량이 100인 분수로 바르게 나타낸 경우	2점	
	백분율로 바르게 나타낸 경우	1점	

4. 비와 비율 (2)

서술형 완성하기　　　　　　　p. 48

1 비율, 0.106, 53, 106, 53　**답** 53개

2 30, 30, 240　**답** 240명

서술형 정복하기　　　　　　　p. 49

1

(비교하는 양)＝(비율)×(기준량)이므로 신문을 보는 가구는
$$0.75 \times 500 = 375 (가구)$$ 또는
$$\frac{75}{100} \times 500 = 375 (가구)$$입니다.

답 375가구

평가기준	비교하는 양은 비율과 기준량의 곱임을 알고 있는 경우	2점	합 4점
	비교하는 양을 바르게 구한 경우	2점	

2

56 %를 분수로 나타내면 $$\frac{56}{100}$$입니다.

따라서 남학생 수는 $$\frac{56}{100} \times 250 = 140 (명)$$입니다.

답 140명

평가기준	비율을 분수로 바르게 나타낸 경우	2점	합 4점
	비교하는 양을 바르게 구한 경우	2점	

3

(비교하는 양)＝(비율)×(기준량)이므로 농경지가 차지하는 넓이는
$$0.624 \times 1500 = 936 (km^2)$$ 또는
$$\frac{624}{1000} \times 1500 = 936 (km^2)$$입니다.

답 936 km²

평가기준	비교하는 양은 비율과 기준량의 곱임을 알고 있는 경우	2점	합 4점
	비교하는 양을 바르게 구한 경우	2점	

4. 비와 비율 (3)

서술형 완성하기　　　　　　　p. 50

1 3000, 3000, 20, 20, 20　**답** 20 %

2 200, 200, 25, 25　**답** 25 %

서술형 정복하기　　　　　　　p. 51

1

할인한 금액은 5000－4400＝600(원)이고
할인율은 $$\frac{600}{5000} = \frac{12}{100}$$이므로 12 %입니다.
따라서 거울을 12 % 할인한 금액으로 판매하고 있습니다.

답 12 %

평가기준	할인한 금액을 바르게 구한 경우	1점	합 4점
	할인율을 바르게 구한 경우	3점	

2

작년과 올해 배추 한 포기의 값의 차는
800－500＝300(원)입니다.
따라서 배추 값은 작년에 비해
$$\frac{300}{500} = \frac{60}{100}$$이므로 60 % 올랐습니다.

답 60 %

평가기준	작년과 올해 배추 한 포기의 값의 차를 바르게 구한 경우	1점	합 4점
	인상율을 바르게 구한 경우	3점	

3

🖉 티셔츠를 할인한 금액은

$12000 - 10200 = 1800$(원)이므로 할인율은

$\dfrac{1800}{12000} = \dfrac{15}{100}$이므로 15 %이고,

반바지를 할인한 금액은

$10000 - 9000 = 1000$(원)이므로 할인율은

$\dfrac{1000}{10000} = \dfrac{10}{100}$이므로 10 %입니다.

따라서 티셔츠의 할인율은 15 %이고 반바지의 할인율은 10 %이므로 티셔츠를 더 많이 할인합니다.

답 티셔츠

평가기준	할인한 금액을 모두 바르게 구한 경우	1점	합 5점
	할인율을 모두 바르게 구한 경우	3점	
	바르게 답한 경우	1점	

4. 비와 비율 (4)

서술형 완성하기   p. 52

1 18, 18, 72, 72, 13, 13, 65, 65, 효근

   답 효근

2 11, 11, 55, 55, 39, 39, 78, 78, 석기

   답 석기

서술형 정복하기   p. 53

1

🖉 $\dfrac{7}{20} = \dfrac{7 \times 5}{20 \times 5} = \dfrac{35}{100}$이므로 어제의 성공률

은 35 %이고, $\dfrac{3}{15} = \dfrac{1}{5}$이고

$\dfrac{1}{5} = \dfrac{1 \times 20}{5 \times 20} = \dfrac{20}{100}$이므로 오늘의 성공률은 20 %입니다.

따라서 어제가 더 잘 했습니다.

답 어제

평가기준	비율을 분수로 바르게 나타낸 경우	1점	합 4점
	기준량을 같게 하여 백분율을 바르게 나타낸 경우	2점	
	답을 바르게 구한 경우	1점	

2

🖉 $\dfrac{4}{16} = \dfrac{1}{4}$이고 $\dfrac{1}{4} = \dfrac{1 \times 25}{4 \times 25} = \dfrac{25}{100}$이므로 웅이의 성공률은 25 %이고,

$\dfrac{3}{10} = \dfrac{3 \times 10}{10 \times 10} = \dfrac{30}{100}$이므로 예슬이의 성공률은 30 %입니다.

따라서 예슬이의 성공률이 더 좋습니다.

답 예슬

평가기준	비율을 분수로 바르게 나타낸 경우	1점	합 4점
	기준량을 같게 하여 백분율을 바르게 나타낸 경우	2점	
	답을 바르게 구한 경우	1점	

3

🖉 $\dfrac{22}{40} = \dfrac{11}{20}$이고 $\dfrac{11}{20} = \dfrac{11 \times 5}{20 \times 5} = \dfrac{55}{100}$이므로 한솔이의 성공률은 55 %이고,

$\dfrac{24}{30} = \dfrac{4}{5}$이고 $\dfrac{4}{5} = \dfrac{4 \times 20}{5 \times 20} = \dfrac{80}{100}$이므로 규형이의 성공률은 80 %입니다.

따라서 규형이가 더 잘 했습니다.

답 규형

평가기준	비율을 분수로 바르게 나타낸 경우	1점	합 4점
	기준량을 같게 하여 백분율을 바르게 나타낸 경우	2점	
	답을 바르게 구한 경우	1점	

4. 비와 비율 (5)

서술형 완성하기   p. 54

1 75, 75, 16500, 70, 70, 24500, 신발 가게

   답 신발 가게

2 90, 90, 22500, 85, 85, 25500, 마트

   답 마트

서술형 정복하기   p. 55

1

㉮ 백화점의 판매 가격은 6000원의 90 %이

므로 $6000 \times \dfrac{90}{100} = 5400$(원)이고

㉯ 백화점의 판매 가격은 6400원의 85 %이

므로 $6400 \times \dfrac{85}{100} = 5440$(원)입니다.

따라서 전자시계를 ㉮ 백화점에서 더 싸게 살

수 있습니다.

   답 ㉮ 백화점

평가 기준	㉮ 백화점에서의 판매 가격을 바르게 구한 경우	2점	합 5점
	㉯ 백화점에서의 판매 가격을 바르게 구한 경우	2점	
	답을 바르게 구한 경우	1점	

2

마트의 판매 가격은 8500원의 80 %이므로

$8500 \times \dfrac{80}{100} = 6800$(원)이고

인터넷 쇼핑몰의 판매 가격은 9800원의 75 %

이므로 $9800 \times \dfrac{75}{100} = 7350$(원)입니다.

따라서 마우스를 마트에서 더 싸게 살 수 있

습니다.

   답 마트

평가 기준	마트에서의 판매 가격을 바르게 구한 경우	2점	합 5점
	인터넷 쇼핑몰에서의 판매 가격을 바르게 구한 경우	2점	
	답을 바르게 구한 경우	1점	

3

백화점의 판매 가격은 5200원의 90 %이므

로 $5200 \times \dfrac{90}{100} = 4680$(원)이고

홈쇼핑의 판매 가격은 4400원의 95 %이므

로 $4400 \times \dfrac{95}{100} = 4180$(원)입니다.

따라서 포기김치 한 봉지를 홈쇼핑에서 더 싸

게 살 수 있습니다.

   답 홈쇼핑

평가 기준	백화점에서의 판매 가격을 바르게 구한 경우	2점	합 5점
	홈쇼핑에서의 판매 가격을 바르게 구한 경우	2점	
	답을 바르게 구한 경우	1점	

4. 비와 비율 (6)

서술형 완성하기   p. 56

1 20, 20, 330, 330, 330, 6600, 6, 600

   답 6 km 600 m

2 144000, 400

   답 400

서술형 정복하기   p. 57

1

3 km=3000 m이고 걸린 시간에 대한 간

거리의 비율이 2이므로

$$\dfrac{(간\ 거리)}{(걸린\ 시간)} = 2$$

➡ (걸린 시간)=(간 거리)÷2

$$= 3000 \div 2$$

$$= 1500(초)$$

따라서 1500÷60=25(분) 걸렸습니다.

   답 25분

평가 기준	km 단위를 m 단위로 고친 경우	2점	합 5점
	걸린 시간을 초 단위로 구한 뒤 분 단위로 고친 경우	3점	

2

✎ 넓이에 대한 인구 수의 비율이 1200이므로

$\dfrac{(인구\ 수)}{(넓이)}=1200$입니다.

따라서 (인구 수)$=1200\times200=240000$(명)입니다.

답 240000명

평가 기준	(인구 수)$\div$(넓이)$=1200$임을 알고 있는 경우	2점	합 5점
	인구 수를 구한 경우	3점	

3

✎ 진하기가 10 %인 설탕물 500 g에 녹아 있는

설탕의 양은 $\dfrac{10}{100}\times500=50(g)$,

진하기가 15 %인 설탕물 400 g에 녹아 있는

설탕의 양은 $\dfrac{15}{100}\times400=60(g)$이므로

진하기가 15 %인 설탕물 400 g에 녹아 있는
설탕의 양이 $60-50=10(g)$ 더 많습니다.

답 진하기가 15 %인 설탕물, 10 g

평가 기준	설탕의 양을 구한 경우	3점	합 5점
	설탕의 양의 차이를 구한 경우	2점	

실전! 서술형 p. 58 ~ 59

1

✎ 남는 귤은 $24-6=18$(개)이므로 귤 전체에

대한 남는 귤의 비율은 $\dfrac{18}{24}=\dfrac{3}{4}$입니다.

따라서 $\dfrac{3}{4}=\dfrac{3\times25}{4\times25}=\dfrac{75}{100}$이므로 75 %입니다.

답 75 %

평가 기준	비율을 분수로 나타낸 경우	2점	합 4점
	백분율로 바르게 나타낸 경우	2점	

2

✎ 14 %를 분수로 나타내면 $\dfrac{14}{100}$입니다.

따라서 선풍기 한 대를 팔았을 때 얻는 이익

금은 $\dfrac{14}{100}\times84000=11760$(원)이므로 선

풍기 2대를 팔았을 때 생기는 이익금은
$11760\times2=23520$(원)입니다.

답 23520원

평가 기준	비율을 분수로 바르게 나타낸 경우	1점	합 4점
	선풍기 한 대를 팔았을 때의 이익금 을 바르게 구한 경우	2점	
	선풍기 2대를 팔았을 때의 이익금 을 바르게 구한 경우	1점	

3

✎ 공책 값의 차는 $920-800=120$(원)이고

$\dfrac{120}{800}=\dfrac{15}{100}$이므로 15 % 올랐고,

연필 값의 차는 $600-500=100$(원)이고

$\dfrac{100}{500}=\dfrac{20}{100}$이므로 20 % 올랐습니다.

따라서 오른 비율이 더 큰 것은 연필입니다.

답 연필

평가 기준	인상한 금액을 모두 바르게 구한 경우	1점	합 5점
	인상율을 모두 바르게 구한 경우	3점	
	바르게 답한 경우	1점	

4

✎ $\dfrac{400}{40000}=\dfrac{1}{100}$이므로 행복 은행의 이자율은

1 %이고, $\dfrac{250}{12500}=\dfrac{1}{50}$이고 $\dfrac{1}{50}=\dfrac{2}{100}$

이므로 기쁨 은행의 이자율은 2 %입니다.
따라서 기쁨 은행의 이자율이 더 높으므로 기
쁨 은행에 예금하는 것이 더 이익입니다.

답 기쁨 은행

평가 기준	비율을 분수로 모두 바르게 나타낸 경우	1점	합 5점
	기준량을 같게 하여 비율을 백분율 로 모두 바르게 나타낸 경우	3점	
	답을 바르게 구한 경우	1점	

5

✎ 마트의 판매 가격은 850원의 90 %이므로

$850 \times \dfrac{90}{100} = 765$(원)이고

편의점의 판매 가격은 950원의 88 %이므로

$950 \times \dfrac{88}{100} = 836$(원)입니다.

따라서 음료수를 마트에서 더 싸게 살 수 있습니다.

답 마트

평가기준	마트에서의 판매 가격을 바르게 구한 경우	2점	합 5점
	편의점에서의 판매 가격을 바르게 구한 경우	2점	
	답을 바르게 구한 경우	1점	

6

✎ 소금물의 진하기는 소금물의 양에 대한 녹아 있는 소금의 양의 비율입니다.

따라서 (소금물의 진하기)$=80 \div 400 = \dfrac{1}{5}$

이므로 백분율로 나타내면

$\dfrac{1}{5} \times 100 = 20$(%)입니다.

답 20 %

평가기준	소금물의 진하기를 분수 또는 소수로 구한 경우	2점	합 5점
	소금물의 진하기를 백분율로 나타낸 경우	3점	

쉬어가기
60쪽

3	5	7	8	4	2	6	1	9
6	4	9	7	1	3	2	8	5
1	2	8	9	5	6	4	7	3
7	6	5	1	8	4	3	9	2
9	1	3	2	6	7	5	4	8
2	8	4	5	3	9	7	6	1
4	9	6	3	2	1	8	5	7
8	3	1	6	7	5	9	2	4
5	7	2	4	9	8	1	3	6

5 여러 가지 그래프

5. 여러 가지 그래프 (1)

서술형 완성하기
p. 62

1 4100, 2800, 4100, 2800, 6900

답 6900 kg

서술형 정복하기
p. 63

1

✎ 경기도의 노트북 판매량은 37000대이고 전라북도의 노트북 판매량은 18000대입니다.

따라서 노트북 판매량의 차는

$37000 - 18000 = 19000$(대)입니다.

답 19000대

평가기준	경기도와 전라북도의 노트북 판매량을 바르게 구한 경우	2점	합 4점
	답을 바르게 구한 경우	2점	

2

✎ 2015년의 오징어 포획량은 330000톤이고 2017년의 오징어 포획량은 160000톤입니다.

따라서 두 해의 오징어 포획량의 합은

$330000 + 160000 = 490000$(톤)입니다.

답 490000톤

평가기준	두 해의 오징어 포획량을 바르게 구한 경우	2점	합 4점
	답을 바르게 구한 경우	2점	

5. 여러 가지 그래프 (2)

서술형 완성하기
p. 64

1 36, 18, 36, 18, 2   답 2배

2 20, 0.2, 40   답 40명

정답과 풀이

서술형 정복하기　　　p. 65

1

2014년의 20세 미만 인구 비율은 27.9 %이고 60세 이상 인구 비율은 9 %입니다.
따라서 27.9÷9=3.1이므로 3.1배입니다.

답 3.1배

평가 기준	띠그래프에서 비율을 바르게 찾은 경우	2점	합 4점
	몇 배인지 바르게 구한 경우	2점	

2

2016년의 20세 이상 60세 미만의 인구는 전체의 75.4 %입니다.
2016년의 이 도시의 전체 인구가 55000명이므로 20세 이상 60세 미만의 인구는
55000×0.754=41470(명)입니다.

답 41470명

평가 기준	띠그래프에서 비율을 바르게 찾은 경우	2점	합 4점
	인구 수를 바르게 구한 경우	2점	

3

예 20세 미만과 60세 이상 연령층의 비율은 줄어들었고, 20세 이상 60세 미만 연령층의 비율은 늘어났습니다.

평가 기준	연령별 인구 구성비의 변화를 바르게 설명한 경우	4점

5. 여러 가지 그래프 (3)

서술형 완성하기　　　p. 66

1 35, 105, 25, 75, 105, 75, 30　　답 30명
2 30, 30, 30　　답 30명

서술형 정복하기　　　p. 67

1

가장 많은 학생들이 받고 싶어 하는 선물은 30 %를 차지하는 게임기이므로
(게임기를 받고 싶어 하는 학생 수)
$=400×\frac{30}{100}=120$(명)입니다.

답 120명

평가 기준	가장 많은 학생들이 받고 싶어 하는 선물을 바르게 찾은 경우	2점	합 5점
	학생 수를 바르게 구한 경우	3점	

2

회사원 : $500×\frac{25}{100}=125$(명),
공무원 : $500×\frac{20}{100}=100$(명)
따라서 아버지의 직업이 회사원인 학생은 공무원인 학생보다 125-100=25(명) 더 많습니다.

답 25명

평가 기준	아버지의 직업이 회사원, 공무원인 학생 수를 각각 바르게 구한 경우	3점	합 5점
	아버지의 직업이 회사원인 학생은 공무원인 학생보다 몇 명 더 많은지 바르게 구한 경우	2점	

3

전체 가구 수를 □가구라 하면
$□×\frac{35}{100}=98$이므로 □=280입니다.
따라서 지혜네 아파트는 모두 280가구입니다.

답 280가구

평가 기준	전체 가구 수를 구하는 식을 바르게 세운 경우	3점	합 5점
	전체 가구 수를 바르게 구한 경우	2점	

5. 여러 가지 그래프 (4)

서술형 완성하기   p. 68

1 45, 15, 45, 15, 3   답 3배

2 20, 20, 4   답 4표

서술형 정복하기   p. 69

1

체육을 좋아하는 학생의 비율은 30 %이고 과학을 좋아하는 학생의 비율은 15 %입니다.
따라서 체육을 좋아하는 학생 수는 과학을 좋아하는 학생 수의 $30 \div 15 = 2$(배)입니다.

답 2배

평가기준	원그래프에서 비율을 바르게 구한 경우	2점	합 4점
	답을 바르게 구한 경우	2점	

2

국어를 좋아하는 학생 수는 전체의
$100 - (25 + 15 + 30 + 10) = 20$(%)입니다.
따라서 가장 많은 학생들이 좋아하는 과목은 체육입니다.

답 체육

평가기준	국어를 좋아하는 학생이 차지하는 비율을 바르게 구한 경우	2점	합 4점
	답을 바르게 구한 경우	2점	

3

수학을 좋아하는 학생이 차지하는 비율은 25 %입니다.

따라서 수학을 좋아하는 학생 수는
$20 \times \dfrac{25}{100} = 5$(명)입니다.

답 5명

평가기준	수학을 좋아하는 학생이 차지하는 비율을 바르게 구한 경우	2점	합 4점
	답을 바르게 구한 경우	2점	

5. 여러 가지 그래프 (5)

서술형 완성하기   p. 70

1 35, 420, 30, 360, 420, 360, 60

답 60그루

서술형 정복하기   p. 71

1

용돈을 가장 많이 쓴 항목은 35 %를 차지하는 간식비이므로
(간식비로 쓴 금액)
$= 25000 \times \dfrac{35}{100} = 8750$(원)입니다.

답 8750원

평가기준	용돈을 가장 많이 쓴 항목을 바르게 찾은 경우	2점	합 5점
	답을 바르게 구한 경우	3점	

2

가장 많이 들어 있는 영양소는 탄수화물이고, 가장 적게 들어 있는 영양소는 비타민입니다.

탄수화물 : $600 \times \dfrac{30}{100} = 180$(g)

비타민 : $600 \times \dfrac{20}{100} = 120$(g)

따라서 탄수화물이 비타민보다
$180 - 120 = 60$(g) 더 많습니다.

답 60 g

평가기준	가장 많은 영양소와 가장 적은 영양소의 양을 바르게 구한 경우	3점	합 5점
	두 영양소의 양의 차를 바르게 구한 경우	2점	

3

조사한 학생 수를 □명이라 하면
$\square \times \dfrac{28}{100} = 140$이므로
$\square = 140 \div 28 \times 100 = 500$입니다.
따라서 조사한 학생은 모두 500명입니다.

답 500명

	조사한 학생 수를 구하는 식을 바르게 세운 경우	3점	합 5점
평가 기준	조사한 학생 수를 바르게 구한 경우	2점	

5. 여러 가지 그래프 (6)

서술형 완성하기   p. 72

1 쌀, 보리

〈곡물 생산량〉

기타 (10 %), 콩 (20 %), 쌀 (35 %), 보리 (35 %)

2 15, 20, 25, 40, 높은

〈박물관의 입장객〉

초등학생 (15 %)	중학생 (20 %)	고등학생 (25 %)	성인 (40 %)

서술형 정복하기   p. 73

1

✏ 예 띠그래프로 알 수 있는 사실은 이 도시는 음식물 쓰레기가 가장 많이 발생한다는 것입니다.

〈쓰레기의 양〉

음식물 (35 %)	종이 (20 %)	금속 (25 %)	기타 (15 %)

비닐(5 %)

	띠그래프를 바르게 그린 경우	3점	합 5점
평가 기준	띠그래프로 알 수 있는 사실을 바르게 쓴 경우	2점	

2

✏ 예 원그래프로 알 수 있는 사실은 선생님이 되고 싶어 하는 학생 수는 의사가 되고 싶어 하는 학생 수의 2배라는 것입니다.

〈장래 희망〉

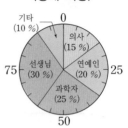

기타 (10 %), 의사 (15 %), 연예인 (20 %), 과학자 (25 %), 선생님 (30 %)

	원그래프를 바르게 그린 경우	3점	합 5점
평가 기준	원그래프로 알 수 있는 사실을 바르게 쓴 경우	2점	

3

✏ 예 고등학생의 비율은
$100-(35+30+10)=25(\%)$입니다.
원그래프로 알 수 있는 사실은 이 놀이공원은 연령층이 낮은 사람들이 좋아한다는 것입니다.

〈놀이공원의 입장객〉

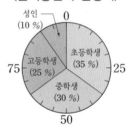

성인 (10 %), 초등학생 (35 %), 고등학생 (25 %), 중학생 (30 %)

	고등학생이 차지하는 비율을 바르게 구한 경우	2점	합 6점
평가 기준	원그래프를 바르게 그린 경우	2점	
	원그래프로 알 수 있는 사실을 바르게 쓴 경우	2점	

실전! 서술형   p. 74 ~ 75

1

✏ 이용객이 가장 많은 해는 2018년으로 51000명이고 가장 적은 해는 2016년으로 43000명입니다.

따라서 이용객의 차는
$51000-43000=8000$(명)입니다.

답 8000명

평가 기준	이용객이 가장 많은 해와 가장 적은 해를 찾아 이용객 수를 바르게 구한 경우	2점	합 4점
	답을 바르게 구한 경우	2점	

2

야구를 좋아하는 학생의 비율은 전체의 34 %이고 축구를 좋아하는 학생의 비율은 전체의 17 %입니다.
따라서 $34÷17=2$(배)입니다.

답 2배

평가 기준	띠그래프에서 비율을 바르게 찾은 경우	2점	합 4점
	답을 바르게 구한 경우	2점	

3

전체 동물 수를 □마리라 하면
$□×\dfrac{15}{100}=300$이므로
$□=300÷15×100=2000$입니다.
따라서 농장에 있는 동물은 모두 2000마리입니다.

답 2000마리

평가 기준	전체 동물 수를 구하는 식을 바르게 세운 경우	3점	합 5점
	전체 동물 수를 바르게 구한 경우	2점	

4

복숭아가 차지하는 비율은
$100-(17+47+21)=15(\%)$입니다.
따라서 가장 많이 생산한 과일은 47 %인 사과이고 가장 적게 생산한 과일은 15 %인 복숭아이므로 가장 많이 생산한 과일과 가장 적게 생산한 과일을 더한 것은 전체의
$47+15=62(\%)$입니다.

답 62 %

평가 기준	복숭아가 차지하는 비율을 바르게 구한 경우	2점	합 5점
	가장 많이 생산한 과일과 가장 적게 생산한 과일을 더한 것의 비율을 바르게 구한 경우	3점	

5

가장 넓은 면적은 산림이고 가장 좁은 면적은 밭입니다.
산림 : $200×\dfrac{45}{100}=90(\text{km}^2)$
밭 : $200×\dfrac{10}{100}=20(\text{km}^2)$
따라서 산림의 면적은 밭의 면적보다
$90-20=70(\text{km}^2)$ 더 넓습니다.

답 70 km²

평가 기준	가장 넓은 면적과 가장 좁은 면적을 바르게 구한 경우	3점	합 5점
	두 면적의 차를 바르게 구한 경우	2점	

6

예 중학생의 비율은
$100-(10+35+40)=15(\%)$입니다.
띠그래프로 알 수 있는 사실은 이 미술관은 연령층이 높은 사람들이 좋아한다는 것입니다.

〈미술관의 관람객〉

0 10 20 30 40 50 60 70 80 90 100(%)

중학생 (15 %)	고등학생 (35 %)	성인 (40 %)

└ 초등학생(10 %)

평가 기준	중학생이 차지하는 비율을 바르게 구한 경우	2점	합 6점
	띠그래프를 바르게 그린 경우	2점	
	띠그래프로 알 수 있는 사실을 바르게 쓴 경우	2점	

정답과 풀이

6 직육면체의 부피와 겉넓이

6. 직육면체의 부피와 겉넓이 (1)

서술형 완성하기　　　　　　p. 78

1 3, 5, 15, 2, 3, 5, 2, 30, 30　**답** 30 cm^3

2 3, 3, 9, 3, 3, 3, 3, 27, 27　**답** 27 cm^3

서술형 정복하기　　　　　　p. 79

1

✏ 쌓기나무의 개수로 입체도형의 부피를 구합니다.

가의 쌓기나무는 $4 \times 3 \times 3 = 36$(개)이므로 부피는 36 cm^3이고, 나의 쌓기나무는 $3 \times 2 \times 4 = 24$(개)이므로 부피는 24 cm^3입니다.

따라서 가의 부피가 더 큽니다.

답 가

평가 기준	가, 나의 쌓기나무 개수와 부피를 바르게 구한 경우	3점	합 4점
	부피를 비교하여 부피가 더 큰 입체도형을 바르게 찾은 경우	1점	

2

✏ 쌓기나무의 개수로 입체도형의 부피를 구합니다.

쌓기나무는 $5 \times 3 \times 2 + 3 \times 3 = 39$(개)이므로 부피는 39 cm^3입니다.

답 39 cm^3

평가 기준	쌓기나무의 개수를 바르게 구한 경우	2점	합 4점
	입체도형의 부피를 바르게 구한 경우	2점	

3

✏ 상자를 가득 채우기 위해 필요한 쌓기나무는 모두 $5 \times 6 \times 4 = 120$(개)입니다.

따라서 가득 채운 상자의 부피는 120 cm^3입니다.

답 120개, 120 cm^3

평가 기준	쌓기나무의 개수를 바르게 구한 경우	2점	합 4점
	가득 채운 상자의 부피를 바르게 구한 경우	2점	

모서리의 길이를 m로 고쳐서 부피를 구해 보면

(직육면체의 부피)=3.4×2.5×4
　　　　　　　　=34(m^3)입니다.

34 m^3=34000000 cm^3이므로

1 m^3=1000000 cm^3입니다.

평가 기준	부피를 cm^3 단위로 바르게 구한 경우	2점	합 6점
	부피를 m^3 단위로 바르게 구한 경우	2점	
	cm^3와 m^3 사이의 관계를 바르게 설명한 경우	2점	

6. 직육면체의 부피와 겉넓이 (2)

서술형 완성하기　　　　　　　p. 80

1 240, 200, 80, 3840000

　　답 3840000 cm^3

2 0.25, 0.25, 0.5, 0.125　**답** 0.125 m^3

서술형 정복하기　　　　　　　p. 81

1

🖉 (상자의 부피)=80×50×100
　　　　　　　=400000(cm^3)

1000000 cm^3=1 m^3이므로

400000 cm^3=0.4 m^3입니다.

　　　　　답 400000 cm^3, 0.4 m^3

평가 기준	상자의 부피를 cm^3 단위로 바르게 구한 경우	3점	합 5점
	부피를 m^3 단위로 바르게 바꾼 경우	2점	

2

🖉 (상자의 부피)=5×2×3=30(m^3)

1 m^3=1000000 cm^3이므로

30 m^3=30000000 cm^3입니다.

　　　　　답 30 m^3, 30000000 cm^3

평가 기준	상자의 부피를 m^3 단위로 바르게 구한 경우	3점	합 5점
	부피를 cm^3 단위로 바르게 바꾼 경우	2점	

3

🖉 모서리의 길이를 cm로 고쳐서 부피를 구해 보면

(직육면체의 부피)=340×250×400
　　　　　　　=34000000(cm^3)입니다.

6. 직육면체의 부피와 겉넓이 (3)

서술형 완성하기　　　　　　　p. 82

1 11, 5, 55, 165, 165, 55, 3, 3　**답** 3 cm

2 6, 4, 24, 192, 192, 24, 8, 8　**답** 8 cm

서술형 정복하기　　　　　　　p. 83

1

🖉 (정육면체의 부피)=6×6×6=216(cm^3)

직육면체의 부피가 216 cm^3이므로 한 밑면의 가로의 길이를 □ cm라고 하면

□×8×3=216, □×24=216,

□=216÷24, □=9입니다.

따라서 직육면체의 한 밑면의 가로의 길이는 9 cm입니다.

　　　　　답 9 cm

평가 기준	정육면체의 부피를 바르게 구한 경우	2점	합 5점
	직육면체의 한 밑면의 가로의 길이를 바르게 구한 경우	3점	

2

🖉 (정육면체의 부피)=8×8×8=512(cm^3)

직육면체의 부피가 512 cm^3이므로 높이를 □ cm라고 하면

16×8×□=512, 128×□=512,

□=512÷128, □=4입니다.

따라서 직육면체의 높이는 4 cm입니다.

답 4 cm

평가 기준	정육면체의 부피를 바르게 구한 경우	2점	합 5점
	직육면체의 높이를 바르게 구한 경우	3점	

3

✏️ (정육면체의 부피)
$=12 \times 12 \times 12 = 1728(cm^3)$
직육면체의 부피가 1728 cm³이므로 한 밑면의 세로의 길이를 □ cm라고 하면
$16 \times □ \times 9 = 1728$, $144 \times □ = 1728$,
□$=1728 \div 144$, □$=12$입니다.
따라서 직육면체의 한 밑면의 세로의 길이는 12 cm입니다.

답 12 cm

평가 기준	정육면체의 부피를 바르게 구한 경우	2점	합 5점
	직육면체의 한 밑면의 세로의 길이를 바르게 구한 경우	3점	

6. 직육면체의 부피와 겉넓이 (4)

서술형 완성하기   p. 84

1 8, 22, 15, 8, 2640   답 2640 cm³

2 4, 25, 18, 4, 1800   답 1800 cm³

서술형 정복하기   p. 85

1

✏️ 돌의 부피는 늘어난 물의 부피와 같습니다.
수조에서 물의 높이가 $17-12=5(cm)$ 높아졌으므로
(돌의 부피)$=35 \times 22 \times 5 = 3850(cm^3)$입니다.

답 3850 cm³

평가 기준	늘어난 물의 부피로 돌의 부피를 구하는 식을 바르게 세운 경우	4점	합 6점
	돌의 부피를 바르게 구한 경우	2점	

2

✏️ 벽돌의 부피는 늘어난 물의 부피와 같습니다.
통에서 물의 높이가 $12-8=4(cm)$ 높아졌으므로
(벽돌의 부피)$=24 \times 20 \times 4 = 1920(cm^3)$입니다.

답 1920 cm³

평가 기준	늘어난 물의 부피로 벽돌의 부피를 구하는 식을 바르게 세운 경우	4점	합 6점
	벽돌의 부피를 바르게 구한 경우	2점	

3

✏️ 벽돌 3개의 부피는 늘어난 물의 부피와 같습니다.
통에서 물의 높이가 $10-4=6(cm)$ 높아졌으므로
(벽돌 3개의 부피)$=15 \times 12 \times 6$
$=1080(cm^3)$입니다.
따라서 벽돌 한 개의 부피는
$1080 \div 3 = 360(cm^3)$입니다.

답 360 cm³

평가 기준	벽돌 3개의 부피를 바르게 구한 경우	4점	합 6점
	벽돌 한 개의 부피를 바르게 구한 경우	2점	

6. 직육면체의 부피와 겉넓이 (5)

서술형 완성하기   p. 86

1 8, 12, 24, 88, 24, 88, 4, 4, 4, 88
   답 88 cm²

2 16, 16, 16, 96, 16, 96   답 96 cm²

서술형 정복하기   p. 87

1

✏️ [방법 1] (여섯 면의 넓이의 합)
$=35+35+30+30+42+42$
$=214(cm^2)$

[방법 2] (한 꼭짓점에서 만나는 세 면의 넓이
의 합)×2
　　　=(35+30+42)×2=214(cm²)

[방법 3] (한 밑면의 넓이)×2+(옆넓이)
　　　=(5×7×2)+(5+7+5+7)×6
　　　=214(cm²)

답 214 cm²

평가 기준	직육면체의 겉넓이를 3가지 방법으 로 바르게 구한 경우	각 1점	합 3점

2

🖊 밑면은 둘레가 24 cm인 정사각형이므로 밑
면의 한 변의 길이는 24÷4=6(cm)입니다.
(직육면체의 겉넓이)
=(한 밑면의 넓이)×2+(옆넓이)
=(6×6×2)+24×4=168(cm²)

답 168 cm²

평가 기준	밑면의 한 변의 길이를 바르게 구한 경우	2점	합 4점
	직육면체의 겉넓이를 바르게 구한 경우	2점	

3

🖊 한 밑면의 넓이가 8×4=32(cm²)이고 옆면
의 가로의 길이가 8+4+8+4=24(cm)입니
다.
(직육면체의 겉넓이)
=(한 밑면의 넓이)×2+(옆넓이)
=32×2+24×6=64+144=208(cm²)

답 208 cm²

평가 기준	직육면체의 겉넓이를 구하는 식을 바르게 세운 경우	2점	합 4점
	직육면체의 겉넓이를 바르게 구한 경우	2점	

실전! 서술형　　　　　　　p. 88 ~ 89

1

🖊 쌓기나무의 개수로 입체도형의 부피를 구합
니다.

쌓기나무는 6×4+4×4+2×4=48(개)이
므로 부피는 48 cm³입니다.

답 48 cm³

평가 기준	쌓기나무의 개수를 바르게 구한 경우	2점	합 4점
	입체도형의 부피를 바르게 구한 경우	2점	

2

🖊 (물의 부피)=(가로)×(세로)×(높이)
　　　　　　=25×50×40
　　　　　　=50000(cm³)
1000000 cm³=1 m³이므로
50000 cm³=0.05 m³입니다.

평가 기준	부피를 cm³ 단위로 바르게 구한 경우	3점	합 5점
	부피를 m³ 단위로 바르게 바꾼 경우	2점	

3

🖊 (정육면체의 부피)=8×8×8=512(cm³)
직육면체의 부피가 512 cm³이므로 한 밑면
의 세로의 길이를 □ cm라고 하면
16×□×4=512, 64×□=512,
□=512÷64, □=8입니다.
따라서 직육면체의 한 밑면의 세로의 길이는
8 cm입니다.

답 8 cm

평가 기준	정육면체의 부피를 바르게 구한 경 우	3점	합 5점
	직육면체의 한 밑면의 세로의 길이 를 바르게 구한 경우	2점	

4

🖊 벽돌의 부피는 줄어든 물의 부피와 같습니다.
통에서 벽돌을 꺼냈을 때 물의 높이가
10-7=3(cm) 낮아졌으므로
(벽돌의 부피)=22×18×3=1188(cm³)입
니다.

답 1188 cm³

평가 기준	줄어든 물의 부피로 벽돌의 부피를 구하는 식을 바르게 세운 경우	4점	합 6점
	벽돌의 부피를 바르게 구한 경우	2점	

5

 (직육면체의 겉넓이)
$= (2 \times 4 \times 2) + (2 + 4 + 2 + 4) \times 6$
$= 88 (cm^2)$
(정육면체의 겉넓이)
$= (4 \times 4) \times 6 = 96 (cm^2)$
따라서 ㉡의 겉넓이가 ㉠의 겉넓이보다
$96 - 88 = 8 (cm^2)$ 더 넓습니다.

답   ㉡, $8\ cm^2$

평가기준	직육면체와 정육면체의 겉넓이를 바르게 구한 경우	2점	합 4점
	두 입체도형의 겉넓이를 비교하고 겉넓이의 차를 바르게 구한 경우	2점	

6

 한 밑면의 넓이가 $10 \times 4 = 40 (cm^2)$이고
옆면의 가로의 길이가
$10 + 4 + 10 + 4 = 28 (cm)$입니다.
(직육면체의 겉넓이)
$= ($한 밑면의 넓이$) \times 2 + ($옆넓이$)$
$= 40 \times 2 + 28 \times 6 = 248 (cm^2)$

답 $248\ cm^2$

평가기준	직육면체의 겉넓이를 구하는 식을 바르게 세운 경우	2점	합 4점
	직육면체의 겉넓이를 바르게 구한 경우	2점	

쉬어가기   90쪽

5	4	8	6	9	1	2	3	7
2	9	7	3	8	5	1	4	6
3	1	6	7	2	4	5	9	8
9	2	3	8	6	7	4	1	5
1	8	4	9	5	2	6	7	3
6	7	5	1	4	3	9	8	2
4	6	1	5	3	8	7	2	9
8	5	2	4	7	9	3	6	1
7	3	9	2	1	6	8	5	4